D1489708

à Gina,
toujours si proche de
la création,

GIACOMETTI ALBERTO ET DIEGO,
L'HISTOIRE CACHÉE

avec toute mon affection

Claude

Claude Delay

Giacometti Alberto et Diego
L'histoire cachée

Fayard

« *Tout ne tient qu'à un fil. On est toujours en péril.* »

Alberto Giacometti

Je n'aime rien tant au monde que ces femmes rouées de coups et blessures, et si singulièrement intactes, d'Alberto Giacometti. Elles se dressent dans l'espace, déesses et pourtant si proches de nous, ou sur leurs portraits gris, dans le lacis de lignes déjouant le labyrinthe. Annette, Caroline, mystérieusement reconnaissables.

Ses femmes ne marchent pas, sauf une, entre deux cages : *Femme entre deux maisons*. Liées au sol par des piédestaux énormes ou des pieds monstrueux, leurs sculptures habitent. Les hommes, eux, marchent dans l'abîme, ruissellent de ces pluies dont Alberto, l'homme le moins abrité, s'abrite en relevant son imperméable sur sa tête chevelue. Sa tignasse a gardé les boucles de l'enfance, le contraire de Diego, son frère inséparable, qui avait perdu ses cheveux et parlait peu, marmonnait plutôt. Il écrivait si bien, je l'ai découvert par des missives inattendues dont l'écriture aristocratique me captait. Étrange Diego. Il en savait tellement plus qu'il ne voulait dire.

Alberto avait le verbe à la bouche. Il exultait de la parole, sa voix rocailleuse à l'assaut des énigmes. Raymond Mason l'a saisi en « artiste existentialiste ébouriffé, poursuivant une éternelle quête, pour surprendre l'homme à son plus dénudé. Autant de photographes, également ses amis, ont fixé sa personne dans des endroits tout aussi nus, l'atelier, la rue déserte, le café tard le soir ». Un visage « antédiluvien », disait Sartre. Rien n'est plus juste, tant il se situait au commencement du monde. Personne ne viendrait à bout de sa vision, la seule qui comptât pour lui, dans son travail de colosse déraciné par l'angoisse. Mais les acacias de la rue d'Alésia dont il aimait tant les feuillages transfiguraient la fragilité. Commencer, recommencer sans cesse, au feu roulant des « merde », « je n'y arriverai jamais », « ça va mal », « c'est pas possible », « tout s'écroule », « il faut tout détruire. » Murmures, vociférations priaient, s'arrachaient de sa poitrine consumée de rébellion et de voracité.

Toute jeune, j'ai rencontré Diego, déjà âgé, encore si beau, chez le producteur et metteur en scène Raoul Lévy, un copain inoubliable pour Diego. Ils allaient ensemble au buffet de la gare de Lyon et le dimanche Diego déjeunait chez Raoul, à la grande table d'amis de la maison d'Orsay, recouverte d'une nappe à carreaux rouges. Son flair et son intuition l'avaient éclairé sur le talent unique du sculpteur : Diego avait été enrôlé pour tout. Poignées de portes, escalier, rampe, lampes, fauteuils. *Trois chambres à Manhattan* de Simenon, dont Lévy avait acheté les droits pour Jeanne Moreau, fut le début de la marée noire. Leur rupture le lança dans un projet mirifique sur Marco Polo, qui le ruina. Diego se rongeait les sangs. Il aimait ses amis.

Je me rendis bien des fois à l'atelier miséreux où Diego travaillait à côté de son célèbre frère. Jamais il ne quitterait leur rue Hippolyte-Maindron. Rue destinale, s'il en est : les parents de Rodin avaient demandé à Étienne

Hippolyte-Maindron, sculpteur académique du XIXᵉ, si leur fils avait assez de talent pour embrasser une carrière d'artiste... Le brave homme avait assuré que oui ! Tout à côté, rue du Moulin-Vert, Diego avait son logis. Là se trouvait au début du siècle, par une étrange coïncidence, l'atelier de Leborné, aggrandisseur et réducteur des œuvres de Rodin.

Diego avait souvent Alberto à la bouche, leur travail était joint depuis si longue date. Curieusement, je ne prononcerais jamais le prénom d'Alberto jusqu'au jour de sa mort. L'inconscient a ses mystères.

Le jour dit, je devinais Diego bouleversé et le rejoignis à l'atelier. Lui si calme d'habitude m'apparut disloqué. C'est la seule fois de sa vie qu'il me parla d'argent : « Alberto est mort sans faire de papier, c'est Annette qui a tout. » Annette, l'épouse. « Même la vieille ferme de la mère... » Stampa ou Maloja, la maison d'été ? Je n'insistai pas. Son travail quotidien, année après année, lui était arraché. Je l'emmenai au cinéma, qu'il adorait – la salle de projection le dimanche chez Raoul Lévy le comblait. Je me mis à entendre avec soulagement qu'il ronflait. Hélas, nous dérangions et il fallut sortir.

Le 11 janvier 1966, la neige tombait sur l'hôpital de Coire quand Alberto y mourut d'un arrêt du cœur. Il avait dit à Pierre Matisse, l'ami de toujours et son marchand : « Je ne veux pas qu'Annette touche à quoi que ce soit. » Mais Pierre Matisse arriva trop tard. Il ne trouverait qu'un cadavre.

Dans l'atelier gelé, Diego revint seul. Les chiffons autour du dernier buste de Lotar, l'ami photographe d'Alberto, avaient glacé. Très doucement, il alluma le poêle pour les retirer. La glaise n'avait pas éclaté : il l'avait sauvé.

La traversée

Les frères Giacometti pétrissaient tellement avec leurs doigts l'un devant l'autre, l'un pour l'autre, que cet échange ininterrompu depuis les boules de neige de l'enfance fit d'eux et jusqu'à la fin un couple. La fileuse de destin est inéluctable.

À Diego les armatures, les moulages, la patine, la taille de la pierre, apprise chez le sculpteur de pierres tombales de Chiasso ; à Alberto la dynamique corrosive des têtes, les coups donnés au pouce et au canif à ses sculptures. À eux deux, la nostalgie de leur enfance heureuse, le sacre de la mère qui distribuait le bonheur, le gâteau aux noix de l'Engadine. Mère-montagne : l'infini de la montagne se reflète l'une dans l'autre.

« Le génie est une enfance qu'on retrouve à volonté », écrit Baudelaire. Alberto baigne dans son mystère, où il a besoin de se replonger. Il retourne toujours à Stampa, auprès d'Annetta, sa mère, son unique voyage, inlassablement répété jusqu'à l'extrême fin de sa vie. À plus de soixante ans, quand il arrive, avec sa chemise noire du Soldat laboureur, le grand magasin de Montparnasse, sa mère lui donne un bain et le frotte. Il pousse des petits cris de plaisir. Lorsqu'elle disparaîtra et avec elle son « Alberto, viens manger ! Alberto viens manger », il lui survivra à peine. Son sourire de doux cannibale

12

des Grisons n'éclairera plus sa face ravinée. Il n'y aura jamais plus de festin maternel. Le plus beau des mirages de l'enfance, être nourri, a disparu avec la neige. Dans les étincelles des forges, dans ses hardes, il subit l'acharnement de la perte et l'infini de la montagne.

Les assises géologiques de la montagne Sainte-Victoire restent inséparables de Cézanne, dont Kandinsky disait : « Il a élevé la nature morte au rang d'objet extérieurement mort et intérieurement vivant. » Cézanne, tant admiré d'Alberto, proclamait : « La nature est à l'intérieur. » Seule la fidélité à la perception, au secret de la sensation, permet l'affleurement du caché.

Je me souviens des grosses mains de Diego, des dômes, sur chaque phalange. Je m'aperçus tard qu'il était mutilé à la main droite. On aurait dit qu'il l'exorcisait, la dérobait, devenu si habile à assembler les filaments les plus fragiles du plâtre ou le fil de l'étoupe.

Diego est le cadet et l'alter ego d'Alberto. Annetta les conçut l'un après l'autre, Alberto en 1901, Diego en 1902. Ils se suivent dans le ventre de la mère, ils se suivront dans une vie qui deviendra commune : le même atelier, l'inséparable travail. Diego le désinvolte, le dandy, va devenir l'homme à tout faire d'Alberto.

Son aura bénéfique sauvera littéralement Alberto de ses démons et de la destruction incessante qu'il inflige à son œuvre. « Ça suffit, Alberto, lui disait-il de sa voix rogue, après la énième remise au monde de sa sculpture, je la porte à la fonderie. »

Diego était beau. Il plaisait aux femmes, dont il se méfiait, mais dont il aimait la grâce. Sa facilité délivrait Alberto, qui loupait souvent la chose et en avait délibérément élu les putains pour compagnes. Mais l'un comme l'autre ne juraient que par la mère. Indomptable Annetta… La reine de la souche originelle, dit-on chez les abeilles. Annetta le restera. Diego ne se mariera jamais. Alberto, dans une ambiguïté profonde, passera devant le maire avec Annette, la jeune fille genevoise venue le rejoindre à Paris, qui porte quasiment le prénom maternel. « La mère », répétait souvent Diego. Rien jamais ne les séparerait d'elle. Son règne continua bien après l'enfance heureuse du val Bregaglia.

Le rude val Bregaglia des Alpes suisses était peuplé de protestants sévères dans leurs cantons calvinistes, entre la Haute-Engadine et la frontière italienne. Un arrière-grand-père d'Alberto et Diego serait allé jusqu'en Pologne en char à bœufs. Le val Bregaglia, à la lisière des Grisons, commence au lac de Sils, aimé de Nietzsche, avant la plongée italienne sur Chiavenna, le bourg de Soglio célébré par Rilke et Pierre Jean Jouve. Foi protestante en canton catholique et goût âpre de liberté s'affirment en milieu montagnard.

De ces sommets-là, les hommes deviennent invisibles, réduits à des têtes d'épingle. Les cimes portent l'enfance d'Alberto et Diego et l'élan de leur montagne reste aussi inséparable d'eux.

Dans la famille Giacometti, les hommes sont bons et les femmes ont du bien. La grand-mère, Ottilia Santi, apporta à son époux Alberto Giacometti, dont la famille originaire d'Italie centrale s'était implantée dans la vallée, l'auberge de Stampa, le Piz Duan. Ce pic de plus de 3 000 mètres dominant le flanc de la vallée lui avait donné son nom.

La muraille de l'Alpe, les empreintes des bêtes de la forêt dans la neige fraîche, entre le village et la profondeur des bois, le vert des prairies et des saisons, l'ombre qui envahit la vallée pendant les mois d'hiver où le front des montagnes ne laisse pas passer le soleil enveloppent la scène de l'enfance.

Giovanni Giacometti, troisième des huit enfants de l'aubergiste de Stampa, développa un don pour le dessin et se sentit une vocation d'artiste. Encouragé et assisté par son père, il étudia à Paris avant de résider non loin de Pompéi. La mort de son père, au début de 1900, ébranla tout son être. Il lui fallait refaire souche.

La même année, le 4 octobre 1900, le peintre figuratif à la barbe rousse Giovanni Giacometti épousait dans l'église de San Giorgio à Borgonovo, le nouveau village à un kilomètre de Stampa, Annetta née Stampa. Le 10 octobre 1901 naquit Giovanni Alberto, tout de suite prénommé Alberto tout court. L'adoration d'Annetta pour son aîné ne pourrait l'empêcher, à nouveau enceinte, de le sevrer à six mois. L'admiration du père pour Vélasquez inspirerait le choix du prénom de l'enfant à venir : Diego naquit le 15 novembre 1902.

L'aîné jouait dans l'atelier du père et barbouilla une toile achevée avec de la peinture et ses propres excréments. Diego n'avait pas un an quand la mère se trouva à nouveau enceinte d'Ottilia, la sœur. Le retour des prénoms, déjà, scande les vies. En face du Piz Duan, l'ancêtre, naîtrait une maison rose, dont l'étable sera transformée en atelier. La famille Giacometti ne la quittera plus.

Le jour du déménagement pour Stampa, Diego sortit tout seul dans la rue, pleine de moutons en désordre, lors d'une transhumance. Il n'avait pas encore deux ans. Perdu, bousculé, Diego hurla de peur. Annetta, force et amour, riait pourtant à la fenêtre. Une jeune fille délivra l'enfant en pleurs. La terreur de ses deux ans se mêlerait toujours à l'étrange douceur de la laine des toisons et au rire de sa mère.

Une étroite crevasse dans le fond d'une grotte devint le refuge d'Alberto. Pelotonné dans sa caverne, il y cacha une miche de pain dérobée à la cuisine maternelle. Diego tomba amoureux des animaux furtifs des sentiers de montagne, des oiseaux, des écureuils. Un quatrième enfant, Bruno, naquit l'été 1907.

Cet été-là, en pleine fenaison, fasciné par l'engrenage des roues du hachoir de la machine agricole où tombait le foin fraîchement coupé pour se mélanger à l'avoine, Diego tendit sa main droite sous la manivelle, arrêtée à grand-peine par les garçons de la vallée horrifiés : un des doigts tenait à peine, le médius avait perdu son extrémité. La lame avait pris la moitié du deuxième doigt, écrasé le bout du troisième et déboîté le pouce. Presque anesthésié, l'enfant de cinq ans restait interdit. Les doigts suppliciés de Diego avoueraient, des décennies plus tard… Il s'était mutilé volontairement. Un inconscient plus grand que lui avait décidé son épreuve. N'aurait-il pas désiré s'emparer du regard d'Annetta, si absorbée par l'amour de son aîné et les naissances successives ? Éprouver son

16

courage dans un défi enfantin ? C'est exprès qu'il avait exposé sa main. Laissons-lui son mystère.

Sous la suspension, les enfants se réunissaient le soir autour de la table commune, chacun assis sur la chaise de noyer dont le médaillon sculpté le représentait. Le portrait, omniprésent, de la mère, commence. Jamais Alberto ne se détachera de son modèle vénéré.

Dès la sortie de l'école Alberto courait à l'atelier du père, que son crayon enchantait. Son premier dessin, Blanche Neige dans son cercueil de cristal, veillée par les Sept Nains en larmes, la révélait blanche comme neige, lèvres vermeilles couleur de sang, cheveux noirs d'ébène – ceux d'Annetta. Tout jaillissait. « Assieds-toi et regarde, disait le père. Je vais peindre. »

L'acharnement cosmique de sculpteur et de peintre d'Alberto prend racine dans ses Grisons : l'œuvre rude, escarpée, les lignes de crête et les aigus de ses bronzes dévorés. Il témoigne : lorsqu'il palpe l'argile, il retrouve les sentiers de son village, la boue sur ses godillots en rentrant de l'école, les montagnes et les torrents glacés, les ravins, le vol des rapaces au-dessus de la vallée… Douceur des prairies. Il se revoit «le petit garçon qui, tout habillé de neuf, traversait un pré dans un espace où le temps oubliait l'heure ».

Son père les a conduits à la pierre dorée, ce mégalithe dont l'entrée entrouvre un passage. Les enfants s'accroupissent, se réfugient. Alberto aime tant s'enfouir dans la petite caverne où il peut à peine tenir, se tapir, retrouver la cavité utérine. Mais il rencontre très tôt le maléfique et nous le confie dans *Hier, sables mouvants*. Étrange titre pour cette enfance au pied des montagnes, où le sol gelé par la neige peut devenir si dur. Une pierre noire, énorme dans les broussailles, se dresse « comme un être vivant, hostile, menaçant ». Elle bouleverse son inconscient, il ne dit mot aux autres enfants. Il a rencontré son bourreau, la terreur.

Les blocs de gneiss, roches métamorphiques de feldspath et de quartz renaîtront dans les grumeaux de sa sculpture, et les cavités ouvertes, les pierres à cupules porteuses d'énigmes. Et si Médée guettait, dans une faille ?

La neige avant la glaise. Alberto l'attend, rêve de s'aménager un trou à ses mesures, il étalerait son sac au fond pour y passer l'hiver. Dès les premières leçons de géographie, il imagine son « isba » en Sibérie, bien au chaud derrière la petite fenêtre à regarder la plaine et la noire forêt des sapins, son paysage de tous les jours. Mais ses refuges ne tiennent pas contre son fantasme. Ses frères se moquent en vain devant l'ordre qu'il impose, avant de se coucher, au rangement de ses chaussettes et de ses chaussures. Il se met dans une colère noire si on les bouge d'un millimètre. Son rituel secret pour s'endormir lui fait traverser une immense forêt et rejoindre un château gris. Là il tue deux hommes, viole deux femmes l'une tout en noir et sa fille en voiles blancs, dont les gémissements retentissent. Il les tue lentement puis, inexorable, brûle le château. Ce faisant il se sauve, il sauve son sommeil contre l'insomnie. Comme il sauvera sa création contre l'impuissance.

La scène primitive a toujours fasciné les petits garçons. « D'Éros et de la lutte contre Éros », s'écrie

18

Freud. Comment ne pas songer à Annetta, vêtue de noir, et à ses trente-deux ans, l'âge de la femme du rêve ? L'autre évoque une mariée. Cette fois Alberto a franchi le cercueil de cristal de Blanche Neige, qui la rendait inaccessible. De qui se venge-t-il ?

Le 5 août 1911, Annetta va avoir quarante ans et une photographie nous restitue l'excursion à Castasegna, ville-frontière voisine. L'amour est là, « avec son cortège de clartés qui est fait de tous les yeux de devins ». Il nous touche, avec les mots de Breton, dans l'*Amour fou*, tant la communication entre Annetta et son fils aîné les illumine. La ferveur du regard adorant qu'il plonge en elle, ce commandement intime d'Annetta à Alberto se répondent et leur ressemblance saute aux yeux. Un couple amoureux, inaltérable, est né, laissant les autres en retrait, y compris le père.

Sur cette même photographie, Diego a l'air si malheureux. Il cache sa main droite mutilée à l'oiseau du photographe, la face barrée par le chagrin. Ottilia tient le genou de son père, col de dentelle sous ses nœuds, alors que les garçons portent une lavallière, sauf Bruno, trop petit encore, en col marin. Ils sont assis dans l'herbe et les pieds chaussés du père apparaissent à l'avant, reposant entre les bottines enfantines.

L'atelier, avec ses odeurs de térébenthine et de peinture, les poses devant Giovanni, qui cligne de l'œil pour mieux voir, pétrissent l'inconscient des enfants. Giovanni Giacometti sera un peintre post-impressionniste réputé. Son ami Cuno Amiet, étudiant avec Giovanni à l'académie Julian, partage sa passion pour Gauguin et Van

Gogh, et ils rivalisent en paysages de lumière, éblouissants de couleurs. Amiet, le parrain d'Alberto, le grand peintre Ferdinand Hodler, celui de Bruno. L'oncle Augusto Giacometti, le cadet de Giovanni, amoureux de Puvis de Chavannes et du Quattrocento, aquarelliste, graveur et dessinateur, composerait les vitraux pour l'église de Stampa et une *Ascension du Piz Duan* multicolore. Giovanni avait beaucoup aimé Segantini, le célèbre peintre venu vivre à la pointe du lac de Sils, et ressentit cruellement sa mort. Cette même année, Giovanni le sensible avait aussi perdu son père, et il épousait Annetta. Maîtresse femme, épouse amoureuse et mère adulée, Annetta fait socle à la vie qui s'érige. Ces socles dont Alberto peuplera son œuvre.

Pays natal, atelier natal. Les deux imprègnent l'enfance. Alberto éclate en sanglots, lors d'une absence de Giovanni : «Je ne peux pas me souvenir du visage de mon père!» Diego répond, placide : «C'est un petit homme à barbe rousse.»

Une relation massive lie Alberto à son père. Les yeux bleus du père sont les premiers à se poser sur les dessins d'Alberto. Déjà, il copie ardemment les reproductions qui l'accueillent dans la bibliothèque, passe plusieurs jours à réaliser sa première gravure de Dürer, *Le Chevalier, la Mort et le Diable,* ses compagnons nocturnes… Le père et le fils travaillent côte à côte. Ils s'aiment.

Alberto dessine tout : «Rien ne pouvait me résister. Mon crayon, c'était mon arme.» Le père lui achète de la plastiline, et il sculpte : Diego, déjà docile, pose pour son premier buste. La force de la ressemblance s'impose, après les fantasmes de ses dessins, augurés par Blanche Neige veillée dans son cercueil par les sept nains : pour la première fois, Alberto met en forme un être en chair et en os, son frère Diego. Il va le faire poser à vie. Alberto a treize ans, l'âge de Dürer, le fils de l'orfèvre allemand, quand il signe son premier autoportrait au point d'argent : « Fait de ma main sur la base de mon image devant un miroir, en 1484, alors que j'étais encore un enfant. » Diego sert de miroir… Alberto s'applique à recopier la signature de Dürer, Albrecht, le même prénom que le sien.

Son effervescence fait des étincelles à l'école secondaire évangélique de Schiers, où il entre pensionnaire et séduit maîtres et condisciples. Il va même obtenir une modeste mansarde pour son travail de peintre et de portraitiste. La fraternité des anciens l'adopte et l'appelle « petit chat ». Ses premières vacances de Noël resteront mémorables.

L'écolier de quatorze ans voyageait seul de Schiers à Coire, avant de passer la nuit dans une pension de Saint-Moritz afin de prendre, au matin, le traîneau postal vers Stampa. Mais à Coire, il se rendit à la librairie, où il ne put résister au volume de reproductions de Rodin, le plus grand sculpteur vivant. Tout son pécule y passa. Il avait bien son billet de chemin de fer pour Saint-Moritz en poche, mais quand il arriva il ne lui restait plus rien pour la pension… Chargé de son gros livre et de son baluchon, Alberto se mit en route dans la nuit glacée des Alpes, glissa, tomba, perdit son précieux fardeau dans la neige et le rattrapa, jusqu'à arriver enfin, intrépide et à moitié gelé, à cinq heures du matin, à Stampa, tenant son Rodin serré contre lui.

Bientôt, il modèlera pour la première fois le buste de sa mère. Il dévore les livres, Hölderlin, Hoffmann et son *Homme au sable*, qui arrache les yeux aux enfants, et le théâtre de Shakespeare. Son père lui a révélé la pierre-caverne dorée, sa protectrice, son crayon-sceptre d'enfant devant la foudroyante nature, le labour des couleurs et son intensité fauve dans la poursuite de la ressemblance. Giovanni le laisse disposer de sa palette, de sa bibliothèque, « sésame ouvre-toi » des alchimies mystérieuses de père à fils.

Quel feu follet attise Alberto quand, lors d'une absence de son père, il se met à peindre le buste de gypse blanc représentant Giovanni, cadeau de Rodo, un collègue peintre décédé ? Il lui rend ses yeux bleu ciel de glacier, moustache et barbe rouge et ses lèvres roses, convaincu d'avoir fait le vrai travail, puisqu'il n'était pas ressemblant. À son retour, Giovanni n'émit pas un blâme.

Le soir tombe, l'éphémère menace, la violence des contes et de ses fleurs maudites inquiète : la goutte de sang de la Belle piquée au fuseau tache la peau du lait, selon la légende suisse. Le nez se rallonge, étrange appendice et se recouvre d'oiseaux dessinés par le père dans leur livre de Grimm. La page de garde porte le nom des quatre enfants.

Son goût de l'origine conduit Alberto à l'art des cavernes, sacrificiel et extatique. Les gravures pariétales, les incisions sur les graffitis sexuels le fascinent. Sexualité et reproduction vont être définitivement dissociées. Séparées par la scène qui se joue dans son corps.

À dix-sept ans, une tardive maladie d'enfance l'atteint, les oreillons. Ils vont se compliquer : une orchite, inflammation douloureuse des testicules, le rend stérile. Cette perte pour la vie, si troublante dans la sexualité d'un garçon, l'affecte au plus poignant et sonne un glas, entre les volées des cloches tant aimées dans l'infini des montagnes. Toute son énergie sexuelle sera affectée. Son aventure sera autre, la généalogie de l'engendrement, l'œuvre pas encore née porteront son sperme et son sang. Ce qui est le plus caché le destine à la métamorphose. Sa vision traduira le proche et le lointain, sa mise en regard sortira de lui. De son sol de vérité, la fleur jaillira.

Il la refoule encore, mais la brusque révélation a creusé un sillon brûlant. Cette menace rend sa vie à Schiers intolérable. Il obtient alors que le principal lui accorde un congé lui permettant de se consacrer à la peinture et à la sculpture. Diego l'a rejoint deux ans plus tôt et ne se plaît guère aux études. Il n'a pas les dons omnipotents de son aîné et traîne. Tous deux plient bagage.

C'est le printemps à Stampa, la digitale, la marguerite effeuillée avec les « je t'aime », les colchiques couleur de cerne et de lilas chantés par Apollinaire, et la pomme éternelle dans le compotier familial. Les garçons mâchent de la racine de gentiane, Diego grimpe, la montagne l'enchante et les pics l'attirent. Il était né pour être premier de cordée… Alberto a le vertige et se précipite à l'atelier paternel.

Les poires minuscules, les poires de l'angoisse

Père et fils vont connaître leur premier désaccord pictural, symptôme d'une angoissante errance à venir qu'aucun des deux ne peut pressentir. Alberto veut dessiner des poires posées devant lui. Le signifiant l'agrippe : il ne peut le franchir. Ses poires deviennent de plus en plus petites. Déjà, après la réprimande de Giovanni, si rare dans leur relation, il a gommé et recommencé inlassablement : les poires se sont tellement réduites sous son crayon que son père s'en agace, et connaissant ses dons, l'adjure de les peindre « grandeur nature ». Aucune retouche ne peut en venir à bout. Les tentatives d'Alberto sont vaines et il ramène les poires, au millimètre près, à la dimension initiale.

Inséparable des mots, Alberto a souvent répété cette scène qui signe le dénouement de son enfance : les sables mouvants succèdent aux langes de la neige. Les forces fraîches qu'il a prises dans l'atelier natal se retournent. Les poires de l'ingratitude ouvrent un abîme dans lequel elles devront mûrir seules avec l'angoisse d'Alberto. Le paradis de la vision partagée se dérobe et touche à la profanation. Son père et lui font un. La bonté de Giovanni à son égard, sa fierté de l'avoir pour fils, pour disciple, la longue intimité de l'atelier derrière et devant le chevalet présagent le massacre. Quel obscur objet du désir peut les séparer ?

C'est plus fort que lui, Alberto se doit de reproduire ce qu'il voit, comme il le voit, indépendamment du savoir. Déjà il se confronte à la distance, son Erinye. Elle va le hanter. L'aventure ne fait que commencer : des gouffres vont s'ouvrir. Les poires minuscules resteront prémonitoires : la traversée du désert l'attend.

« Je dominais ma vision, c'était le paradis, et cela a duré jusque vers dix-huit, dix-neuf ans, où j'ai eu l'impression que je ne savais plus rien faire du tout. » L'entame à la vision du père porte en elle la poursuite de sa propre perception et ses vertiges futurs. « Je dois peindre exactement comme je vois. »

Les fruits du pinceau de son père ou ceux posés sur la table de cuisine, pourtant, ne lui résistent pas. En témoignent le *Portrait d'Ottilia*, sa sœur cousant, ses huiles de *Bruno à la flûte de noisetier*, la *Nature morte aux pommes*, signée de son seul prénom, Alberto. Son *Autoportrait*, nimbé d'attente, presque hypnotique, s'illumine. Mais la crise de la dimension commence.

Dans la maison d'été de Maloja, il ne danse pas. Les poings serrés, il fixe les autres et fait danser ses frères avec la jeune fille de son choix. Il contemple.

« Depuis notre jeunesse, notre père nous laissait faire tout ce que nous voulions. Il nous donnait un conseil quand nous le lui demandions mais il s'en tenait toujours là… – Tu veux devenir peintre ? me demanda mon père. – Peintre ou sculpteur, répondis-je. »

Le robuste et doux Giovanni l'achemine vers l'École des beaux-arts de Genève. Alberto n'y fera pas long feu. L'enseignement conventionnel le rebute. La mise en place de l'académie entière d'un nu n'est que routine. Loulou pose, grosse et bouffie. Alberto, à la grande irritation du professeur, s'obstine et dessine, gigantesque, l'un des pieds du modèle. Il ne peut, à la fois, rendre le tout et le détail.

Ce qui se répète a toujours du sens. On entre dans les plis et les replis qui vont séparer Alberto de la mesure. Les poires, le pied de Loulou révèlent l'exigence forcenée de sa vision, en dépit des stratégies du savoir. Lui, si doué, les dénie. Un courage provocant l'habite : en classe de sculpture sur pierre, il heurte sur son chevalet le lourd marteau de fer qui lui tombe sur le pied. Il le ramasse et le visage grimaçant de douleur se remet au travail. L'intolérance d'Alberto à l'égard de lui-même ira jusqu'à la lie et contredit l'indulgence plénière de son père. Bénéfique, tolérant, Giovanni réoriente le rebelle sur l'École des arts et métiers. Il se plaît davantage.

Giovanni, peintre reconnu et respecté, est envoyé à la Biennale de Venise en mai 1920 par la Commission fédérale pour les beaux-arts. Jamais il n'a vu Venise. Son plus pressant désir est d'y mener Alberto. Père et fils partent ensemble. Le donateur de la pierre dorée lui a révélé l'entrée du monolithe, l'initiateur de l'atelier natal le dessin, il va désormais lui dévoiler Venise.

Venise

« Je me rappelle encore l'impression éprouvée pendant le voyage dans une petite gare au milieu des collines de la Brianza, le soleil disparaissait immense et rouge dans la brume juste au-dessus de l'horizon, et la surprise à l'arrivée à Venise provoquée par la couleur grise légère et transparente, par la coupole vert-de-gris de l'église en face de la gare ; tout avait l'air fragile et vaguement délabré. » Entre les seins des collines, l'attend la découverte de ce gris qui deviendra l'essence même de sa peinture, lui l'enfant des Grisons. Tout comme la fragilité, le délabrement célébreront des noces éternelles.

Giovanni le conduit à la mère des arts Italie, dans la *chiara lingua de la mamma*.

Le père se précipite voir les portraits solennels et sanguins de Titien. Ni Titien ni Véronèse n'attirent Alberto, mais Tintoret le bouleverse : sa fougue et ses tourbillons, ses ténèbres sulfureuses, ses foules noyées dans la pénombre où la vie frénétique grouille entre des lances, l'ange plongeant vers l'esclave gisant parmi les instruments du supplice lui révèlent son modèle intérieur, « le reflet même du monde réel qui m'entourait. Je l'aimais d'un amour exclusif et partisan ». Un pinceau de feu se pose sur son existence, aussi exigeant que ce reflet.

Il ne veut pas manquer une seule de ses toiles, dans un seul coin d'église, et court, le dernier jour encore, à San Giorgio Maggiore et à l'École de San Rocco « comme pour lui dire adieu, adieu au plus grand des amis ».

Retentissant Alberto. Dans son absolutisme, il reçoit un coup de poing dans la poitrine en arrivant à la chapelle de l'Arena, à Padoue. Le choc, l'éblouissement devant Giotto sont tels qu'il en ressent une trahison envers son bien-aimé Tintoret. « La force de Giotto s'imposait à moi irrésistiblement, j'étais écrasé par ces figures immuables, denses comme du basalte, avec leurs gestes précis et justes, lourds d'expression et souvent de tendresse infinie. » La main de Marie touchant la joue de son fils mort l'exalte : l'apparition lui restitue la main de sa mère, sa bien-aimée Annetta. « Il me semblait que jamais aucune main ne pourrait faire un geste autre dans une circonstance analogue. » Mais il ne veut pas perdre le Tintoret. Sa lueur intime le met face à sa raison de vivre.

Les trois jeunes filles de Padoue

Une vision toute simple va le désagréger, le disloquer de sa nouvelle vénération. Trois jeunes filles de Padoue marchent devant lui, dans la rue. Boutonné dans sa génération, Alberto ne dit pas filles, comme le tout-venant aujourd'hui, il les appelle, « les Trois Jeunes Filles de Padoue ». Leur taille le guette, le jette à bas.

« Elles me semblèrent immenses, au-delà de toute notion de mesure et tout leur être et leurs mouvements étaient chargés d'une violence effroyable. Je les regardais halluciné, envahi par une sensation de terreur. »

Son vide l'affole. Il est puceau et programmé par son orchite à la stérilité sexuelle. « Les Tintoret et les Giotto devenaient en même temps tout petits, faibles, mous, et sans consistance. » Alberto a rencontré sa castration. Sa propre taille disparaît. Rien ne tient devant le corps de ces inconnues. Les plus grands artistes qui viennent de tant l'impressionner s'effondrent, devant la simple rencontre de la rue : l'immensité féminine l'interpelle, le laisse aussi démuni qu'un garçonnet, réduit à « un balbutiement naïf, timide et maladroit ».

Trois figure son chiffre maudit. Dans la végétation magique des signes, des nombres, qu'il unira à ses œuvres, le trois lui apparaît infranchissable. Sa sculpture *Femme*, quelques années plus tard, ne fera que provoquer son inhibition : « 1+1 = 3, je ne peux pas… » Il faut être trois pour faire un enfant et c'est le père qui le fait à la mère. La terrible Sainte Trinité. Alberto ne montrera jamais les femmes enceintes. Un vide, une cupule, trace le ventre et sa douce place. Rien ne l'occupe. La mère reste l'antique Annetta, enceinte de lui seul.

Les Trois Jeunes Filles de Padoue, première scène anéantissante de sa sexualité, lui demeureront immenses. Quand il découvre le même automne, à Florence, dans un buste égyptien « la première tête qui me parut ressemblante », puis s'imprègne des Cimabue d'Assise, et des mosaïques de Cosme et Damien, que ressent-il ? « Toutes ces œuvres m'apparaissaient un peu comme les doubles recréés des Trois Jeunes Filles de Padoue. C'est la même qualité qui m'a envoûté depuis dans Cézanne. »

L'émotion fera de lui le passant incessant, le voyeur des filles de la rue. Comment pourrait-il le pressentir ? C'est lui qui ressuscitera leurs doubles. Depuis l'énigme et l'infini des femmes, il sculptera *Femmes de Venise*, au-delà de la mesure. L'espace gris de silence, sur la toile, dans la bataille érigée des lignes, sauvegarde les retrouvailles avec ses vivantes.

Il se retrouve sur les bancs de l'enseignement artistique de Genève mais ne rêve que de retourner en Italie. Ainsi fut fait. Alberto voulait s'inscrire à Florence, mais les institutions affichaient complet, sous un froid glacé. Ses cousins romains l'accueillirent, dans leur maison de Monteverde. Un grand jardin, le cèdre du Liban, le séduisirent tout de suite et surtout sa cousine, Bianca, âgée de quinze ans. Lui en a dix-neuf et, lyrique, quitte ses vêtements râpés, après avoir écrit à Stampa pour respecter le veto familial. Il inaugure un élégant complet à redingote, écharpe et gants, cigarettes et canne, moulinets à l'appui et envoie un dessin à ses parents le représentant. Les ateliers coûtent cher, les inscriptions sont closes, mais il devient membre du Circulo Artistico, et deux heures durant peut dessiner pendant qu'un modèle pose.

Le jeune homme à qui tout réussit s'attelle au buste de Bianca. La sauvageonne s'impatiente et bouge tout le temps. En vérité, il se confronte à l'impossible : « La réalité me fuyait. » Lui qui s'est toujours joué de l'exécution réalise à Rome même et sans la moindre difficulté le buste d'Alda, la belle-sœur de la bonne. Rires et sourires scandent les séances. Alda, enchantée de la ressemblance, prie le sculpteur de lui donner son portrait. Il s'exécute de bonne grâce. Mais il échoue devant celle dont il est amoureux.

« Pour la première fois je ne savais pas comment m'y prendre. Je me perdais. Tout m'échappait. » Alberto nous entraîne dans son labyrinthe intime, dont il ne sortira qu'à force de rigueur et d'acharnement à trouver, à dévoiler sa vérité. Le buste de Bianca, enveloppé de chiffons humides pour empêcher l'argile de durcir, c'est son univers : il l'a mis sous bandelettes. Bandelettes mortuaires ou langes d'un commencement ?

Il remplit aussi ses carnets de reproductions qu'il admire dans les musées et les églises de Rome, cueillette ininterrompue comme il l'avait fait dans l'atelier paternel. Le baroque l'éblouit. Il lit toujours passionnément Eschyle et Sophocle : le sacrifice d'Iphigénie, la mort de Cassandre, l'incendie de Troie.

Le nuage

Bianca s'exaspère encore plus et le sentiment d'impuissance intolérable d'Alberto resurgit : « La tête du modèle

devant moi devenait comme un nuage vague et illimité. »
Le nuage le recouvre de l'inhibition maléfique, infernale.

Il emmène chez lui une putain pour la dessiner, puis
couche avec elle. C'est la première fois. « Une crise
d'enthousiasme me fit exploser littéralement. Je me mis
à crier : c'est froid, c'est mécanique. » Rien à redouter.
Le schéma se répétera à vie chez Alberto, qui deviendra
l'ami inséparable des prostituées.

Bianca ne viendra pas à bout de son impérieux cousin.
L'insolente, brutale, donne un coup au plâtre qui tombe.
Alberto, excédé, le brise en morceaux et le jette à la
poubelle. Première destruction prémonitoire de milliers
d'autres : quand le travail va mal, lucide, inflexible,
Alberto exécute. Plutôt l'indigence que le simulacre.

Il quitte Rome pour le sud, accompagné d'un jeune
Anglais. Naples l'émerveille, mais surtout la vision de
Paestum en ce début d'avril 1921. Son temple dorique,
entre pins et lauriers-roses, lui révèle l'homme géant :
il se dresse entre les colonnes, « la grandeur métrique
ne joue plus. » Sa poursuite, son intuition de ce qui
deviendra « sa » dimension l'attendent entre les dieux.

Dans le train du matin pour Pompéi, les deux compagnons engagent la conversation avec un monsieur distingué,
à cheveux blancs, en route pour Naples. « Tout vient de
l'extérieur », prédit Cioran. Il y a de l'augure antique
dans ce voyage si court. Alberto fascine son interlocuteur
par son verbe et sa passion, puis descend à Pompéi avec
son camarade. La villa des Mystères incarne pour lui les
Gauguin tant chéris par son père. C'est à Pompéi que son
père avait fait ses débuts difficiles de peintre, et Alberto
sans se l'avouer cherche ses empreintes.

Les pieds de Bianca

La chaleur écrasante de l'été a saisi Rome. La famille confie Bianca à Alberto pour la conduire. Il l'accompagnera jusqu'à Maloja passer la nuit avant de reprendre son train, à Saint-Moritz, vers son pensionnat suisse. Les cousins ont aussi leur maison à Maloja et se retrouvent aux vacances. « C'est comme un voyage de noces », murmure-t-il à l'indifférente. Un retard les amène, à une heure avancée, à la frontière fermée jusqu'au lendemain. Ils doivent passer la nuit à l'hôtel. Après le dîner dans la salle à manger, la balançoire dans le jardin, Bianca monte dans sa chambre. Alberto, insistant, frappe à sa porte.

« Qu'est-ce que tu veux ?

– Je veux dessiner tes pieds. »

Bianca apparut en chemise de nuit, et jusqu'à minuit il dessina ses pieds. Satisfait, il regagna sa chambre.

En cet été 1921, une petite annonce passe dans un journal italien : le voyageur âgé du train entre Paestum et Pompéi, un Hollandais résidant à La Haye, recherche l'étudiant d'art italo-suisse qu'il y a rencontré et le prie de lui répondre par lettre. Par quel miracle l'annonce tombat-elle entre les mains des cousins italiens ? Ils l'envoient à Maloja et Alberto écrit. C'est le signe du destin.

La réponse est immédiate : Peter Van Meurs, conservateur archiviste célibataire, aime voyager mais étant âgé préfère être accompagné. Et il propose au jeune homme de se rendre à Venise, où Alberto rêve de retourner... Malgré les objurgations de Diego, qui suspecte son correspondant d'homosexualité, le fougueux Alberto rejoint le voyageur hollandais pour se mettre en route vers le village de montagne de Madonna di Campiglio. La voiture postale suit un chemin étroit de lacets entre gorges et précipices, et le froid de ce début septembre a pris en traître la vallée. En arrivant à l'hôtel des Alpes, Van Meurs ne se sent pas bien et s'alite. Le lendemain, ses calculs rénaux très douloureux imposent la visite du médecin et une piqûre pour le soulager. Dehors, la pluie ruisselle et Alberto reste à son chevet. Il ne parvient pas à lire *Bouvard et Pécuchet* de Flaubert, car les joues de Van Meurs semblent se creuser, le nez s'allonger. Le médecin revenu le prend à part : « Le cœur lâche. Cette nuit il sera mort. »

La nuit tombait et Van Meurs expira.

« Ce fut pour moi comme un abominable guet-apens. En quelques heures, Van Meurs était devenu un objet, rien. Mais alors, la mort devenait possible à chaque instant, pour moi, pour les autres. Il y avait eu tant de hasards : la rencontre, le train, l'annonce. Comme si tout avait été préparé pour que j'assiste à cette fin misérable. »

Il revoit la tête se transformer, le nez s'accentuer de plus en plus, les joues se vider. La bouche béante du mort l'obsède. Terrifié, il ne peut s'endormir et garde toute la nuit la lumière allumée : l'ampoule anonyme, hagarde. Il en sera ainsi désormais toutes les nuits de sa vie. Alberto ne pourra plus jamais dormir sans allumer la lumière.

La mort de Van Meurs

« Tout est devenu fragile. » Cette fragilité va définitivement imprégner sa vision : sa fatalité. Son ordinaire, son dénuement, dont il ne se séparera plus, il le donnera mystérieusement à ses créatures. Il ne le sait pas encore. Son goût du provisoire a été enfanté là. De chambre d'hôtel modeste en chambre d'hôtel refuge, il se tapira sans choisir, avec l'ampoule. D'un coup, les faux-semblants sont tombés. Il y a la racine, la mère, la montagne. Et puis plus rien.

Le fils d'Annetta est placé sous surveillance policière : une journée de garde à vue. L'autopsie confirme la défaillance cardiaque, il peut enfin partir. Il a par miracle pris quelque argent dans le bureau de son père, sans le lui dire. En cas de malheur, pour contredire les exhortations de Diego à ne pas rejoindre l'inconnu. Il décide alors de se rendre à Venise, sa destination initiale.

Il n'y a pas rendez-vous avec le Tintoret. Tout son argent passe entre les prostituées et les cafés… Il envoie aux siens la carte postale fracassante du grand condottiere de la Renaissance, par Verrocchio, Bartolomeo Colleoni : les yeux d'épervier cruel, la stature du colosse mentent. Il a rencontré la béance, le trou de la mort, la vie démythifiée. Dans une peur sans nom, il parcourt Venise entre ses eaux croupissantes, n'osant pas jeter le morceau de pain serré dans sa main. Autrefois, il conservait dans sa paume le pain volé en talisman sur la neige. Il n'y a plus de tanière contre le froid ou la faim. Il erre dans cette Venise « au milieu du vide, entre les eaux fœtales et celles du Styx ». Morand pouvait se jeter sur l'Italie comme sur un corps de femme, mais lui ? Lui qui a dérobé de l'argent à son père bien-aimé sans le lui avouer, pour aller le perdre avec des putains. La population des statues ne le captive plus, seuls les chats lui glissent entre les jambes.

« Après plusieurs essais ratés sur les petits ponts les plus obscurs, au bord des canaux les plus sombres, je jetai en tremblant nerveusement le pain dans l'eau pourrissante du dernier bras d'un canal enfermé par des murs noirs et je m'éloignai en courant dans l'affolement et à peine conscient de moi-même. »

Point n'est besoin d'être sorcière ou psychanalyste pour discerner dans les ponts l'image même du rapport sexuel. D'une rive à l'autre... Alberto ne peut exorciser sa terreur, seul avec le quignon de pain de son enfance.

À son retour à Maloja, il partage une chambre avec son jeune frère de quatorze ans : Bruno s'indigne en vain, de ne pouvoir s'endormir. La lumière restera allumée toute la nuit. En son infaillible instinct, Annetta passe outre. Alberto va avoir vingt ans.

Son père lui conseille la Grande Chaumière où il a étudié lui-même. Il y apprendra la sculpture auprès de Bourdelle. Alberto obtient son visa d'entrée en France à Bâle, où Diego travaille dans une manufacture. Superbe, Diego l'accueille à la gare, la première de leurs retrouvailles. Alberto prendra seul le train de nuit pour Paris.

Genèse, jeunesse

« La plupart des événements sont inexprimables, s'accomplissent en un espace que nul n'aura jamais foulé », écrit Rilke. Et justement Alberto s'empare de ce silence, pour élucider ce qui lui importera plus que tout au monde : la vérité.

« L'art m'intéresse beaucoup mais la vérité m'intéresse infiniment plus… » Dès les premiers jours, son père, le peintre reconnu et réputé, s'installe au milieu des élèves et se met à dessiner et à peindre, à la Grande Chaumière. « J'aimerais tant rester à Paris et recommencer à zéro », lui dit-il. Alberto ne l'oubliera jamais. Combien de fois recommencera-t-il, faisant, défaisant, repartant en guerre, cette guerre qu'il mène pour mordre sur la réalité, pour « grossir ».

L'enseignement de Bourdelle, à la Grande Chaumière, de 1922 à 1927, provoque son ambivalence. Les dimensions apprises, les conventions, l'académisme ne peuvent le convaincre. Leur factice l'inquiète, et la pseudo-restitution trahit son attachement farouche au sujet, sa quête : traverser les apparences.

« Le matin je faisais la sculpture et les mêmes difficultés qu'à Rome recommencèrent. L'après-midi, je dessinais. » Bourdelle, l'ancien élève de Rodin et son assistant pendant quinze ans, la soixantaine, ne s'en laisse pas conter. Il se fait sarcastique. Alberto ne peut rendre à la fois le tout et le détail : partir d'un détail lui refuse l'ensemble et cette distorsion le martyrise.

Chaleureux, il loue le travail de ses camarades. Parmi eux, le propre fils de Matisse, Pierre, qui deviendra, une décennie plus tard, son marchand à New York. Mais Alberto déprécie toujours sa production et sa solitude est encore plus grande.

La difficulté qu'il ressent devant le modèle à la Grande Chaumière lui fait voir les êtres sans consistance, « suspendus sur un vide ». Les « pieds ne touchent aucune base », vision prémonitoire, ô combien, des cages et des suspensions qu'il va faire naître, sans parler des futurs pieds, énormes, par lesquels il enracinera ses sculptures.

Bourdelle lui reproche son entêtement : « Vous êtes suisse, n'est-ce pas ? Tout cela est très bien, oui, cependant il y a l'exagération des qualités. Les motifs sont trop ponctués et manquent de liaison. Le style est un peu trop haché et vous vous êtes éloigné de l'harmonie des formes qui se révèle dans le modèle. Il faut éviter ces cassures trop nettes… Il y a trop de saillies en surface, trop de brusqueries. Il y a des passages trop heurtés qui font songer à un sac de pommes de terre qu'on secoue. »

L'acuité d'Alberto dérange Bourdelle. Alberto reste marqué par le symbolisme abrupt de Ferdinand Hodler, l'ami de son père et le parrain de son plus jeune frère Bruno. Le désaveu de Bourdelle fera affirmer à Alberto qu'il n'a rien appris chez ce maître. Bourdelle et Rodin obéissent à l'ordre de son père devant les poires : « Dessine-les grandeur nature. » Giacometti dira à David Sylvester : « Quand Rodin faisait ses bustes, il prenait les mesures encore. Il ne faisait pas une tête telle que lui la voyait dans l'espace… Donc au fond, ce n'est pas une vision, c'est un concept. »

Lui n'est pas dans le concept. Mais il travaille d'arrache-pied à la multiplication des plans : sa prise en compte de l'architecture des lignes, l'autorité du volume habitent ses constructions de nus, le dessin analysé par facettes n'a pas de secret pour lui, dans son autoportrait si différent de celui du jeune homme de Stampa. Il travaille difficilement, car le cœur n'y est pas. Partir d'un détail le terrifie : « Si on commençait par analyser le bout du nez, par exemple, on était perdu. On aurait pu y passer sa vie sans arriver à un résultat. La forme se défait, ce n'est plus que comme des grains qui bougent sur un vide noir et profond, la distance entre une aile du nez et l'autre est comme le Sahara, pas de limite, rien à fixer, tout échappe. »

Le Sahara

Le nuage sur le buste de Bianca est devenu le Sahara. L'après-midi, Alberto dessine pour se sauver. Dans son carnet, *Aube*, il crie de solitude. Paris et sa célèbre inhospitalité ne leurrent pas le montagnard : «J'ai rencontré beaucoup de monde, j'ai entendu prononcer tant, beaucoup d'imbécillités et de non-sens. Presque chez tous règne une confusion infinie et presque tous, ou même tous sont pendus, suspendus sur un vide, leurs pieds ne touchent aucune base et leur regard n'a aucun but. » Alberto hait l'émancipation des femmes et l'individualisme, il s'indigne des bavardages et rêve d'un poing de fer.

Fallait-il qu'il se sente seul, cet étudiant, pour s'enfermer tout l'hiver suivant dans sa chambre d'hôtel, à peindre un crâne qu'on lui avait prêté, dans son désert peuplé d'inconnus ? Le fracas qu'a déchaîné en lui la mort de Van Meurs enlace sa jeunesse : êtres et choses se défont devant ses yeux. Le chemin abrupt et escarpé qui l'a mené à Madonna di Campiglio est prémonitoire : l'homme qui devait devenir son hôte, qui l'avait choisi, élu, pour partager son chemin intime vers les peintures de Venise, l'a pris en otage. La terreur était au rendez-vous. Devant la face morte, le regard disparu et les traits immobiles, l'avancée du nez et la bouche béante, Alberto a l'intuition de ce qui va hanter sa vie : la mesure, c'est la mort. Tête morte mesurable, à jamais terminée, dont aucune âme ne s'échappe, ni aucun éphémère, tout ce à quoi Alberto va destiner son regard : voir le secret, le vivant de chaque être, son mystère avant qu'il ne s'éteigne. L'ampoule brûle pour le mesurer à la tâche qui d'échec en échec va l'élancer vers l'infini.

Le crâne

« La seconde année, par hasard, je suis tombé sur un crâne qu'on m'a prêté. J'ai eu une telle envie de le peindre que j'ai laissé tomber l'Académie pendant tout l'hiver… voulant le préciser, le saisir autant que possible. Je passais des journées à tâcher de trouver l'attache, la naissance d'une dent… qui monte très haut près du nez, de la suivre le plus exactement possible, dans tout son mouvement… de manière que si je voulais faire tout le crâne, cela me dépassait, j'en étais réduit à peu près à faire la partie inférieure, c'est-à-dire la bouche, le nez et les orbites tout au plus et pas au-delà. »

Une huile sur toile représente sur socle – déjà ! – le crâne, sphinx poignant, peint à même l'os, d'un bleu pâle tapissant les cavités du vide. Deux pupilles de bleu saturé reposent dans les orbites : ce regard bleu, celui du père, donne sa couleur aux veines de sa peur.

« Quand j'étais gosse je croyais pouvoir faire n'importe quoi. Et le sentiment a duré jusque dix-sept, dix-huit ans. Alors je me suis tout à coup rendu compte que je ne pouvais rien faire et je me suis demandé pourquoi. J'ai voulu travailler pour le découvrir.»

Ses dimanches, où l'entrée est gratuite au Louvre, il les passe dans l'effervescence. Le dessin est sa respiration. Son voyage intérieur exulte devant les statues égyptiennes de l'ancien royaume, le relief en calcaire peint d'Aménophis IV, Akhénaton avec son épouse Nefertiti. Les idoles cycladiques, ces femmes nues et frontales du monde égéen, dressées sur la pointe des pieds, le sexe incisé, les bras croisés au-dessus des seins répondent secrètement à son attente.

«Gardez la pose, s'il vous plaît», intime-t-il aux modèles de la Grande Chaumière, avec son regard qui sidère. «Depuis toujours la figure humaine m'intéressait plus que n'importe quoi, au point que je me rappelle, étant jeune homme à Paris, qu'il m'est arrivé de fixer tellement les gens présents que ça les mettait hors d'eux. Comme si je ne voyais pas ce que je voulais voir, comme si tout était tellement trouble qu'on n'arrivait pas à déchiffrer ce qu'on voulait voir.» Ce qu'il dessine, c'est ce qu'il a pris avec les yeux, depuis le pied de Bianca.

Bourdelle invite ses étudiants favoris à exposer au Salon des Tuileries. Alberto dut attendre trois ans. Quand il exposa pour la première fois sa *Tête* et son *Torse*, sculptures proches de Lipchitz et de Brancusi, Bourdelle ne prit pas de gants : «On peut faire des choses comme ça chez soi, mais on ne les montre pas.»

La sculpture académique en bronze *Nobles Fardeaux* de Bourdelle, maternité modelée avec panier à fruits sur la tête et enfant sur le ventre, révulse Alberto. Lui connaît l'effusion de l'aveugle, cet impossible arrachement à la mère et l'effacement des frontières.

Il rencontre Laurens, qu'il admire sans réserve, et pousse la haute porte grise de son atelier, entre les arbres jaunes et le talus du chemin de fer. Son cœur cogne.

La clairière

«Je voyais, je ressentais la rue claire à onze heures du matin, je vais chez Laurens. Mon anxiété au moment de frapper. Et s'il n'est pas là ? ma déception provoquée par le silence qui persiste, ma joie en entendant les pas s'approcher à l'intérieur.»

Son carnet *Aube* respire de fièvre. Jeté dans un milieu qui l'ignore encore, jeune provincial suisse éperdu d'un vrai contact, il le trouve en Laurens, dont il admire chaque œuvre. «Le sourire de Laurens, la couleur, le volume de sa tête au moment où les sculptures devant moi contentent mon regard, à peine aperçues.» Le transfert paternel traverse Alberto, si avide d'admirer, de croire et de communiquer. La fascination de ce grand vivant émeut, chez celui qui s'est enfermé tout un hiver durant dans sa misérable chambre d'hôtel avec un crâne. Il ne sait pas encore que la tête humaine va devenir son destin.

Le contentement se fait ravissement : ce sont les termes d'Alberto. Rencontre minérale entre l'un et l'autre, au sens où la pierre dorée devint l'augure bénéfique d'Alberto et rayonnera toute sa vie. Rien ne peut être plus sensible à un sculpteur que ce surgissement.

« En travaillant la terre Laurens travaille aussi le vide qui entoure cette matière, l'espace même devient volume. » Cette lutte sans merci avec le vide trace leur obsession commune.

Giacometti réévoque cette lutte dans l'appropriation violente des têtes de Goudéa, ou les sculptures égyptiennes de la IVe dynastie, « l'espace compact de ténèbres » qu'il voit dans une figure prédynastique d'une vitrine du Louvre. Et encore l'espace gris du silence immobile créé pour le tombeau du maréchal de Saxe, par Pigalle, l'implacable sculpteur dont la place des putains de Clichy perpétue le nom. Mais ici, sa raison de vivre a poussé la porte, le portail. Il fait un saut de l'ange vers la clairière. Rien de plus intimement respiré que cette clairière venue de l'enfance.

« Je me voyais dans une étrange clairière… » La clairière, pour Alberto, c'est la fenêtre ouverte pour Matisse : quelque chose d'essentiel. « La sculpture de Laurens est pour moi, plus que toute autre, une véritable projection de lui-même dans l'espace, un peu comme une ombre à trois dimensions. » Ici, le trois n'est plus menaçant, il apprivoise le sens vertical, horizontal et transversal d'un espace qu'il sent commun. « Sa manière même de respirer, de toucher, de sentir, de penser devient objet, devient sculpture. »

Alberto traduit à la fois son attente et son désir dans l'éprouvé qu'il nous transmet : « Cette sculpture est complexe ; elle est réelle comme un verre (je voudrais dire "ou comme une racine", j'en suis moins sûr, bien qu'elle soit par certains côtés plus proche de la racine que du verre) ; en même temps elle rappelle une figure humaine réinventée, elle est surtout "le double" de ce qui rend Laurens identique à lui-même à travers le temps ; mais chacune de ces sculptures est en plus la cristallisation d'un moment particulier de ce temps. »

Ces mots pourraient servir de présages à l'œuvre même d'Alberto : ce double est bien ce qui le fascine – tels les doubles des Jeunes Filles de Padoue – la ressemblance à la réalité vivante, seule, anime et réanime son être. Le ressenti, c'est le réel d'Alberto.

Il vit, grâce à Laurens, des moments d'origine essentiels : l'atmosphère dense et légère de la clairière, tant aimée de l'enfance, et le rideau comme de vapeur entourant les constructions dans cette clairière. Les résonances le reconduisent vers les collines seins de La Brianza à Venise, lors du premier voyage avec le père. Les apparitions prennent corps en lui et l'acheminent vers sa trouvaille d'un espace-atmosphère : la « sphère claire ».

Sphère non céleste ni terrestre, mais espace circulaire qui l'inclut, lui, et l'éclaire. Quand on sait ce que clair signifie pour Alberto… Toute sa vie il craindra la nuit, depuis l'épisode tragique de la mort de Van Meurs, et ne pourra dormir sans l'ampoule allumée jusqu'à sa dernière heure. Comment oublier aussi la neige qui parfois envahit, étouffe sa vision d'enfant et d'adolescent pétrifié par l'orchite ? Ici, près de Laurens, il respire, il aspire, il communie. À deux endroits, confie-t-il, il a ressenti cette sensation de sphère claire, dans l'intérieur du chœur de la cathédrale de Bourges et aussi de Santa Maria delle Grazie de Bramante à Milan. « Je me souviens d'avoir pensé les deux fois : "C'est comme une coquille d'œuf." De ces sculptures de Laurens on n'approche jamais tout à fait, il y a toujours un espace de dimension indéfinissable qui nous en sépare, cet espace qui entoure la sculpture et qui est déjà la sculpture même.» Espace aussi secret qu'un placenta de femme.

«Un bras est immense comme la Voie lactée et cette phrase n'a rien de mystique.» Ce bras, c'est celui de Laurens, il entoure ses épaules, soudain.

Alberto vit sous le signe de la chambre d'hôtel. N'importe laquelle, si minable soit-elle. Le fracas déchaîné par la mort brutale de Van Meurs l'a immunisé. Il passe encore la moitié de l'année à la maison, c'est-à-dire chez sa mère. Tous les jours, sa vie entière, il l'appelle de Paris. À dix-sept heures, ils se parlent dans leur dialecte italien, le Bargaïot Sopraporta. Sa mère protectrice emploie la langue ancienne, le langage des affects le berce. «Je travaillerai et j'arriverai où je veux», lui jure-t-il.

Ainsi Pasolini se passionna pour le dialecte frioulan de la famille paysanne de sa mère bien-aimée. Sa mère, institutrice, était fort instruite. Mais ce dialecte-là lui rend la magie de l'enfance...

La candidature d'Alberto à une bourse du gouvernement suisse pour de jeunes artistes partis à l'étranger ayant été rejetée, il n'a que la pension mensuelle de ses parents pour vivre. Avec cent francs par an il prend son premier atelier en 1924, donnant sur les jardins de l'Observatoire, au 72, avenue Denfert-Rochereau.

Les putes

« Toutes mes courses promenades la nuit à travers Paris en 1923-1924 à la recherche d'une prostituée, obsédé par les prostituées, les autres femmes n'existaient pas pour moi, seules les prostituées m'attiraient et m'émerveillaient, je voulais toutes les voir, toutes les connaître, et toutes les nuits je recommençais mes longues promenades solitaires. » La pute dans la chambre d'hôtel de Vavin, la rue Saint-Denis au crépuscule, déambulant avec Alberto jusqu'au chant du cygne. Montparnasse et son carrefour, où Balzac dans son grand manteau engouffre le vent et le souffle de Rodin, le pousse boulevard Edgar-Quinet : il découvre le Sphinx, le fameux bordel aux relents de Karnak et de Pompéi et ses prostituées. Le sculpteur à la tignasse ébouriffée devient leur familier. Jean Leymarie, cet autre provincial, directeur de la villa Médicis, confiait : « Tu ne sais pas ce que c'était pour nous de voir des femmes nues »… Démons et merveilles.

Au rez-de-chaussée, au bar, les filles racolent, dénudées jusqu'à la taille. « Tu viens, chéri » ? On peut monter, ne pas monter. « Plusieurs femmes nues vues au Sphinx, étant moi assis au fond de la salle. La distance qui nous séparait (le parquet luisant) et qui me semblait infranchissable malgré mon désir de la traverser m'impressionnait autant que les femmes. »

Son besoin énorme de fumer brûle les mégots avec les heures. Il tousse déjà, toussera de plus en plus. Lulu, Zizi, Mado, Nénette, Madeleine, Ginette, Violette, Marion, Sonia, il copie, il dévore. Les putains rassurent

Alberto. «Les plus honnêtes des filles. Elles vous présentent l'addition tout de suite. Les autres s'accrochent et ne vous lâchent jamais. Quand on vit les problèmes de l'impuissance, une prostituée, c'est l'idéal. Vous payez! Que vous loupiez ou non, aucune importance. Elle s'en moque.»

Leiris fait revivre les traversées nocturnes d'Alberto, toujours recommencées. «Corps féminins, disposés sur un rang comme, dans les maisons closes, les filles se présentent pour le choix. Au Sphinx, une vaste étendue de plancher miroitant reléguait les nudités dans un lointain presque sacré; rue de l'Échaudé au contraire, leur proximité (au demeurant peu ragoûtante) touchait à l'agression, entre les quatre murs d'une chambre exiguë. Les supports de hauteur variable et l'échelle même des figures les rendent plus distantes ou plus proches, ainsi que le faisait l'extension plus ou moins grande du parquet.»

Nuages, nacelles, nomades, naufrages... Alberto va édifier pour ces femmes d'une nuit, de mille nuits le temple intime de ses défaites : il les fixe, avec la même intensité que les jeunes filles de Maloja, dansant avec ses frères, ou l'avidité vampirique avec laquelle il voulait se saisir de Bianca. La chair de femme reste celle des Jeunes Filles de Padoue, éclipse même Tintoret et Giotto et anéantit. Mais jusqu'à sa dernière heure il exaltera les femmes debout, raides comme des totems, sans bras, sans généalogie, dont il fera si résolument nos contemporaines à la chair de bronze meurtrie et sorties de lui.

La réalité de ce qu'il voit et vit le met aux prises avec sa destinée. Toute son œuvre est genèse. Le chemin douloureux pour trouver sa vision ne peut le leurrer : il la cherche, il se cherche.

La répétition va le prendre au collet. La terrible répétition, dans ce qu'il sait faire le mieux. Lui, le prodigieux dessinateur des siens, des compotiers et des natures mortes de Stampa, qui le conduiront aux chefs-d'œuvre, depuis son autoportrait à dix-sept ans à l'encre, de 1918, à la *Mère de l'artiste* et à *Pomme sur un buffet* de 1937, s'effondre. Écoutons cet été de 1925 :

« Tout à coup, alors que j'étais en train de peindre ma mère d'après nature, j'ai constaté que c'était impossible. De sorte que j'ai dû tout recommencer à zéro. » L'inhibition cache toujours une agressivité féroce, perfide, annihilante du chemin parcouru. L'énigme est devant lui. La ressemblance se refuse, le laissant comme aveugle devant le visage tant aimé : le nuage sur le buste de Bianca, le Sahara à la Grande Chaumière et sa tempête de sable l'empêchant de voir, recommencent et le bloquent. « Obscure catastrophe qui laisse béant sans renoncer », écrit Ovide.

La scène va tant impressionner Alberto qu'il en reparlera sans cesse : la crise de 1925 le met à bas. Son mal-être, profond, veut une vision propre. Il ne l'a pas encore trouvée.

Annetta, épouse et mère d'artiste, ne put se tromper sur l'intensité du blocage. C'est alors qu'elle eut une idée de génie. Diego végétait. L'école de commerce à laquelle il s'était inscrit à Saint-Gall ne remplissait pas ses promesses. *O mio bambino caro*. Il y perd ses dons. Rendre Diego à son frère sauvera Alberto. Diego est calme, bénéfique, Alberto nerveux et vulnérable. Ces deux-là s'aiment depuis toujours, ils rient ensemble et leur fratrie va délivrer Alberto de ses hantises. La présence de Diego aura raison des fantômes et des parasites qui tuent le plant fragile, exténué avant d'avoir produit son fruit.

La mère veut. La mère peut. Deux en un a commencé dans son ventre. Deux pour un continue. Elle va expédier Diego à son frère. « Va avec Alberto. Tu es plus fort que lui, tu vas le protéger. » Dans ce Paris des ailleurs, il faut qu'ils cohabitent. Elle a l'intuition de l'ordre fraternel.

Diego

Le désir de la mère était commandement pour Diego. Diego rejoignit Alberto en février 1926. Alberto avait changé d'atelier pour le 37, rue Froidevaux, qui donnait… sur le cimetière Montparnasse. Le plafond était bas, la lumière pauvre, le vis-à-vis sinistre. Diego commença par ruer dans les brancards. Il ne se plut pas chez Bourdelle où son frère le fit vainement inscrire. Un emploi fugace dans les bureaux d'une usine à Saint-Denis ne le convainquit pas davantage. Il décida : « je pars. – Où ? l'interrogea Alberto. – À Venise. » Ainsi fut fait. Diego avait un copain vénitien, avec lequel il s'embarqua sur un cargo lent pour l'Égypte, où Alberto, lui, n'était jamais allé sinon au Louvre. L'Égypte le marqua à jamais. Diego reparlerait toujours du Sphinx ensablé, devant les Pyramides au Caire, entre ses chats hiératiques, prodiges de ses sculptures à venir, campés sur son établi. Il l'avait eu, son voyage. Le sien.

Au retour, auprès d'un Alberto épaté par son expédition, un ami suisse leur signale un atelier dans un passage, rue Hippolyte-Maindron, au 46, dans un ramassis de bâtisses légères du quatorzième arrondissement. L'arrière-pays de Montparnasse. « C'est un trou », décrète Alberto en le voyant. C'était le mot magique : le trou où il aimait tant se blottir enfant dans la neige et rêvait de survivre par ses propres moyens. Dans ce lieu exigu, minuscule, leurs graffitis vont recouvrir les murs et la poussière de plâtre remplacer leur neige. Ni électricité, ni eau courante, un robinet dans le passage pour leurs ablutions et des toilettes primitives laissant passer le jour. Un poêle à charbon les réchauffe. Diego dort sur l'étroit balcon de bois, sorte de niche après l'escalier raide, Alberto dans le coin juste en dessous. Le café tabac voisin leur sert de poumon. Des six mètres carrés ils comptent bien déménager. Ils ne les quitteront jamais… « Plus le temps passait, dira Alberto, plus l'atelier grandissait. » Diego est de retour.

Une verrière les éclaire et donne sur le passage, et une fenêtre s'ouvre dans le toit. Dans un appentis, Diego commence à modeler, marteler, assembler les éléments de sculpture. Alberto, après ses errances nocturnes, le réveille et traçant sur la table recouverte de poussière les lignes de son lendemain, lui dit : « Tiens, tu me fais ça. » Diego sera l'immunité d'Alberto : il n'appartient pas à « l'inquiétante étrangeté » de son frère.

Deux n'est pas le double, mais le contraire de un et de la solitude. Deux, c'est l'alliance. Dans l'ancienne Égypte, tant aimée par eux, on appelait le sculpteur «celui qui maintient vivant». Diego remplit ce rôle au sens propre, dans la destruction frénétique d'Alberto, jusqu'à ce qu'il trouve.

Tout pour ne plus faire des trous dans le vide, s'exaltait Alberto dans ses *Carnets*. Écartelé entre sa volonté de restituer le visible et l'inconnu frémissant en lui, il cherche et tâtonne. A-t-il travaillé, pourtant, au forceps de l'enseignement de Bourdelle, l'attache des muscles, la subtile anatomie, l'édifice de l'ossature, la volumétrie des masses, «voir avec justesse où le nez s'attache au bas du front, son rapport exact avec les yeux». Mais la présence se refusait à lui chez Bourdelle.

Alberto ne parvient plus à se partager entre le fait de vouloir copier à l'Académie, à heures fixes, un corps par ailleurs indifférent, et son besoin de réaliser ce qui l'affecte. La forme extérieure des êtres lui apparaît secondaire, lui fait perdre des heures de vie. «Comme je voulais tout de même réaliser un peu de ce que je voyais, j'ai commencé en désespoir de cause à travailler chez moi de mémoire. J'ai tâché de faire le peu que je pouvais sauver de cette catastrophe.» Il lui faut entrer en lui-même.

Aube de son cheminement, «dans l'énorme fracas où les choses frémissent», selon le mot de Rilke. Aube chérie d'Alberto, à ses retours de plus en plus tardifs. Il dira à son ami Leymarie, qui le raccompagnait : «Merde, on a raté l'aube.»

Son humilité abasourdit. Le «peu» dont il parle donne des *Compositions* cubistes autoritaires où les rythmes cohabitent avec des découpes de formes. La Grande

Maternité de Brancusi, le commun désir avec Lipchitz l'enlacent vers son avenir. « Lipchitz crée des figures de vie éternelles comme firent les nègres, les premiers Égyptiens et les médiévaux. »

Les arts primitifs, il les a rencontrés chez le collectionneur suisse d'art africain et océanien, Josef Müller, ami de son père et de Cuno Amiet : il lui fera sa première commande d'un buste. Depuis, Alberto ira de découverte en découverte au musée du Trocadéro ou dans la galerie Ratton, et au musée de l'Homme. « Je sais qu'une sculpture de la Nouvelle-Guinée ou un oiseau de Brancusi sont plus ressemblants qu'un buste romain. » Le fétiche atteint d'emblée ce que le portrait de la tradition romaine tente, et la ressemblance le sidère. Dans les fétiches nègres, il reconnaît l'idolâtrie de la sexualité et de la peur, face au monstre insaisissable qui s'appelle la réalité. Les orbites du totem, simplement encerclées de coquillages, le captent.

Le surgissement du regard chez le sculpteur primitif fait intrusion dans son *Couple*, où l'œil unique de l'un et de l'autre, immense pour l'homme – comment ne pas y voir le double d'Alberto ? – ne peut éclipser les attributs sexuels, ovale pour la femme, ellipse en forme de poisson, face au totem de l'autre sexe. Un espace inflexible les sépare, les laisse hiératiques. La *Femme cuiller*, appelée aussi *Grande Femme*, tête minuscule et serrée, sans bras, naît en 1926, première dans la statuaire d'Alberto : son ventre énorme et creux, non gravide, non fécondé, augure de celles qui ne seront jamais enceintes.

Faut-il rappeler qu'Alberto ne peut enfanter ? Il n'en dira mot à l'Américaine rencontrée par hasard à la

Grande Chaumière. Libre et divorcée, Flora Mayo se passionne pour le jeune sculpteur doué. Quand il vient lui rendre visite dans son grand atelier de la rue Boissonnade, Flora lui tend les bras. Mais Alberto étouffe, auprès d'elle il ne peut pas dormir. Leurs promenades au Jardin des Plantes qu'il aime tant, au Bois et au Luxembourg n'auront pas raison de sa hantise et de ses fiascos. Il disparaît plusieurs jours sans donner d'explication. « Auprès d'elle, j'avais l'impression de suffoquer. Je souhaitais qu'elle trouve quelqu'un d'autre. » Jamais il ne l'invitera à Stampa. L'été même, en retrouvant Bianca à Maloja, une Bianca apprivoisée par les débuts parisiens de son cousin, plus accueillante désormais à ses missives et à son prestige, il décide de marquer Bianca au canif, sur son bras gauche, de l'initiale de son prénom, le A d'Alberto, l'enfonçant dans sa chair. « Et maintenant, tu es ma petite vache à moi. »

Mais il éclate de fureur quand Flora lui confie son aventure d'un soir avec un Polonais rencontré au Dôme. Puis un gigolo américain lui succède. Les infidélités que raconte Flora à son irascible compagnon déchaînent sa fureur. Vociférant de jalousie, Alberto, exclusif et implacable, exigera la rupture. Flora détruira le buste qu'elle a fait d'Alberto et rentrera en Amérique.

L'inconscient reste le donneur d'ordres. Dans sa tentative de mémoire par la seule émotion, les jambes, les bras lui semblent faux. Femmes de bronze, sans bras ni jambes. La tête infime de la *Femme Cuiller* a disparu, reste le creux. Une apparition le traverse : « Ce que réellement je sentais, cela se réduisait à très peu de chose.

Une plaque, posée d'une certaine manière dans l'espace, et où il y avait juste deux creux, qui étaient si l'on veut le côté vertical et horizontal de toute figure. »

Dans la genèse des plaques, pour la première fois cet été-là, Alberto passe à l'acte dans la réalisation, si longtemps et étrangement différée, des *Têtes du père* : fallait-il que s'y mesurât le trouble ? La première respecte la plénitude de ses traits, depuis la barbe en pointe jusqu'aux sourcils. Le regard, pourtant, tourné vers l'intérieur, évoque celui d'un aveugle. La *Tête II* subit incisions, déformations, tranches et griffes, entailles : il ne va pas jusqu'aux sourcils, mais jusqu'aux sources, exaspère la ressemblance en repères schématiques, un œil ouvert, l'autre pas, regardant sa nuit. Quel passage mystérieux se fait, dans le granit, du fils au père, du père au fils ?

On sait quelle relation passionnée lie Alberto aux hiéroglyphes, aux signes, à la rudesse des pierres préhistoriques à cupules des Grisons… Il reprend de fond en comble la tête de Josef Müller, en brosse une autre avec désinvolture, incruste les traits et la déformation. Elle subjugue. La tête aplatie de la mère fait figure de traîne à la scène inaugurale qui vient d'avoir lieu.

Cet été-là, Giovanni demanda à son fils de s'assumer et de subvenir à ses besoins. Par un étrange hasard, ces hasards dont la vie fait ensuite des lignes de force ou des prémonitions, les frères Giacometti vont pouvoir passer à leur singulière épopée.

Les débutants

Lorsqu'Alberto expose, auprès de son ami italien le peintre Campigli, chez la prestigieuse Jeanne Bucher, sa *Tête qui regarde* et sa *Figure*, de blanche violence, touchent immédiatement Masson. Le peintre, intime de la galeriste, lui exprime son étonnement devant les plaques de plâtre de cet inconnu : «Pour une fois, vous tenez vraiment quelque chose…» Quand Alberto s'approcha de lui à sa table solitaire du Dôme, avec son «Vous êtes Masson, n'est-ce pas ?» il répondit : «Vous devez être Giacometti.» Ils s'étaient reconnus. Masson deviendra l'ami des deux frères.

Tête qui regarde, la plaque d'Alberto, le rend célèbre du jour au lendemain. En moins d'une semaine, ses œuvres sont vendues. Michel Leiris publie un éloge dans *Documents*, petite revue dont Alberto gardera tous les numéros. Cette première reconnaissance les liera à vie, unis par une sensibilité exacerbée et, chez Leiris l'anthropologue, une sorte d'expiation intime de grand bourgeois fortuné. Son masochisme littéraire le met en affinité avec la torture d'Alberto. «Il y a des moments que l'on peut appeler des crises, et qui sont les seuls qui importent dans une vie. Il s'agit des moments où le dehors semble répondre à la sommation que nous lui lançons du dedans, où le monde intérieur s'ouvre pour qu'entre notre cœur et lui s'établisse une soudaine communication.» De cette matrice, Alberto est avide, pour aller vers les autres, les toucher. «J'aime la sculpture de Giacometti parce que tout ce qu'il fait est comme la pétrification d'une de ces crises.» L'anxiété s'est reconnue.

Leiris voit ressurgir Alberto, avec son air d'être taillé dans un roc de sa montagne. « Aucune lourdeur, pourtant, et rien d'oursin en lui ; une certaine sobriété de gestes masquerait-elle son affinité avec les animaux sans graisse (bouquetins ou cabris) qui ont les pentes les plus escarpées pour habitat de prédilection ? » Il pourrait apparaître en jeune bison bombé, armé de cornes courtes et orné d'une épaisse crinière, attaquant...

Les Noailles, collectionneurs à l'affût, ont acheté la *Tête*. Cocteau, leur âme damnée, raffole des trouvailles et écrit dans son *Journal* : « Je connais de Giacometti des sculptures si solides, si légères qu'on dirait de la neige gardant les empreintes d'un oiseau. » Le poète a reconnu la neige.

Mais l'enchanteur est autre : Jean-Michel Frank, personnage complexe, attirant, a fait son éthique de l'élégance. Il bannit tout le superflu. Les parades anciennes inspirées par les stucs dorés des décorateurs des Ballets russes ont vécu. La crise économique de 1930 a tué l'argent tapageur, mais c'est le drame intime de Frank, ce petit homme au pur ovale assyrien, voix de fausset parfois jacassante, sourire de crocodile, qui inspire son style et le frémissement de sa décoration d'intérieur. Il aime le blanc et l'ordonnance du vide, entre les paravents, d'où émerge un torse grec ou une statue égyptienne... « Un seul objet suffit à meubler une pièce pourvu qu'il soit beau. »

Proustien et solitaire, Jean-Michel Frank est le fils de Léon Frank, Juif allemand coulissier à la Bourse de Paris et de la fille d'un rabbin de Philadelphie. Ses frères aînés sont morts en 1915, et de douleur et d'affronts le père s'est suicidé, en se défenestrant, la même année. Sa mère, devenue folle et qu'il a dû laisser interner, va disparaître presque aussitôt, lui laissant une petite fortune. Son tempérament de déraciné le destine à une rigueur souveraine.

C'est Frank qui signale aux Noailles, chez Jeanne Bucher, l'étonnant nouveau venu. Le grand poisson en plâtre blanc et l'oiseau aux ailes déployées des frères Giacometti, l'avaient déjà capté au Salon des Indépendants. Cet albatros sera toujours sur l'établi de Diego. Frank a repéré le talent des deux frères et ne songe qu'à leur passer commande. Man Ray le présente à Alberto et le sort en est jeté.

Un rapprochement va naître, dont Diego restera habité. Chaque fois qu'il me parlait de Frank, une rosée lui venait aux yeux. Celui que les mauvaises langues appelaient « ce pruneau de flanelle grise », cardigans boutonnés et mocassins noirs d'Hermès, a été son révélateur, le premier à croire en lui. « On ne travaille pas avec des centimètres mais avec des millimètres », répétait-il. Pas une patte d'oiseau que Diego laissera au hasard. Frank lui découvre le chêne cérusé, l'érable, l'ébène de Macassar, le palissandre violacé de Rio, le poirier noirci ivoire pour les sabots des meubles. Diego dresse contre ses murs de laque blanche ses plafonniers, ses conques en plâtre pour l'éclairage, fait rayonner sa patine vert antique, ses pieds de lampe en bronze doré terminés par une étoile ou une fleur de lotus. L'univers secret de double égyptien des frères sculpteurs inspire lampes, lustres, vases et reliefs en bronze, et staff à la cire perdue. Frank choisit pour sa chambre un grand lampadaire de bronze doré, orné de deux modestes feuilles ; il borde un bureau plat, copie d'un meuble Premier Empire, appartenant à Emilio Terry. La décoration spartiate du haut luxe rivalise avec le parchemin, le bronze et la marqueterie de paille, les matières de Frank.

Frank s'associe à Adolphe Chanaux, virtuose de l'ébénisterie formé par Ruhlmann, et leurs ateliers, mitoyens de la Ruche et des colonies d'artistes autour de Chagall et Soutine, s'envolent. Les bons ébénistes, entre eux, se nomment les Académiciens. La boutique du 140, rue du Faubourg Saint-Honoré ouvre et le succès s'ensuit. « Frank met Paris sur la paille. »

Diego a trouvé sa voie. Toute l'élégance étrusque à venir de ses meubles intransigeants de bronze – il commencera à les réaliser dans les années 1950 – prend racine. Son alchimie passe par Frank.

La durée leur sera arrachée... Au moment de l'atroce séparation de la guerre, Frank souhaitait emmener avec lui les deux frères Giacometti, via Arcachon, embarquer pour rejoindre l'Amérique. Il quitte Paris avec Adolphe Chanaux. La fatalité s'acharne : malgré ses succès américains, Jean-Michel Frank, après le suicide de son grand-oncle, devait se défenestrer du San Regis, à New York. Sa nièce Anne Frank mourra en camp de concentration, nous laissant bouleversés par son *Journal*.

Une photo montre Diego, tout jeune, chez Frank avec son frère, aux côtés de Christian Bérard barbu. Avec sa barbe de buisson ardent, Alberto lui trouvait une beauté « dionysiaque ». Jean Cocteau, quittant l'appartement de Frank rue de Verneuil, avait risqué sa phrase : « Gentil, ce garçon. Très gentil, même. Dommage qu'il ait été cambriolé. » Diego riait. Le temps ne se descelle pas, pour ces deux-là, et il évoquait Frank filant au volant de sa Citroën décapotable, l'hiver à Sils Maria, l'été à Tamaris près de Toulon ou à Hyères, chez les Noailles, lorsqu'il avait planté son décor final : « Voilà, j'ai fini mon travail, vous pouvez commencer les dégâts. »

Alberto poursuit obstinément son périple infernal : sortir de l'étau de l'apparence. Taraudé par le vide, il le glisse, visible, vivant, l'accentue dans ce qu'il appelle « structures claires ». Ses pilotis interrompus soutiennent la *Femme couchée qui rêve*, en bercements de vagues. *Apollon* se dresse sur une grille laissant passer la lumière, *Trois Personnages dehors* angoissent, tenus dans une sorte de cage transparente, *Femme, tête et arbre* habitent le prétexte végétal d'onirisme et de cruauté. La femme n'est plus qu'un exosquelette plaqué aux arbres, la mante religieuse du malaise. La structure transparente se mue en effroi.

Alberto a défini pour lui-même son besoin de mettre à l'épreuve des formes pleines, calmes, par un côté « aigu, une espèce de squelette dans l'espace ». Le squelette le hante et l'aigu le possède. *Homme et Femme* rompt brutalement avec la frontalité des plaques. La cruauté de l'enjeu sexuel fait surgir un épieu, face au creux, à la concavité féminine achevée en éclair de foudre. « Femmes aux ceintures profondes », écrivait Eschyle.

Le duel acéré et rapide inaugure la mise en sculpture des obsessions d'Alberto. Le vampirisme de sa vision détecte et délivre « l'ombre et la proie fondues dans un éclair unique. » Breton ne pouvait rêver meilleure écoute. Alberto moule l'émoi dans le bronze.

En 1930, sa *Boule suspendue*, présentée chez Pierre Loeb auprès de Miró et Arp, subjugue les surréalistes. Elle mime l'imminence sexuelle entre un croissant acéré, destiné à croître, et une boule entamée d'un quartier, prête à recevoir l'arête. Breton se précipite rue Hippolyte-Maindron, Dali fera son miel des objets symboliques. Miró devient un proche. Son patronyme veut dire «je regarde», et son écoute de l'inconscient dans *Terre labourée* fait fleurir l'oreille sur le tronc d'un arbre. «Miró ne pouvait poser un point sans le faire tomber juste», s'exclame Alberto. Enfin, il n'est plus seul et il brûle de communiquer. Miró habite à côté de l'atelier de Masson, 46 rue Blomet, le peintre Tanguy un petit pavillon proche, rue du Château. Son *Jardin sombre de la sexualité infantile*, où les symboles féminins des coquillages se partagent avec les formes phalliques dans l'univers maternel de l'eau et des vagues, parle à Alberto. Tout ce monde vit dans la misère, et René Char racontait que faisant un jour l'après-marché avec Tanguy pour découvrir quelque reste, les deux affamés virent par terre un billet de cinquante francs. C'était la fortune! Mais il faisait grand vent et elle s'envola dans l'égout.

Comment Alberto ne serait-il pas tenté par la «vraie vie» qu'exaltent les surréalistes, l'appui des mots et de l'écriture automatique? La phrase de Breton «en dehors de tout contrôle», apparue dans le *Premier manifeste du surréalisme* augure d'une nouvelle genèse par l'inconscient. Malgré la désapprobation croissante de Bataille, de Leiris et de Masson à l'égard du mouvement, Alberto s'affilie en avril, ce sera la seule fois de sa vie. Il n'a pas trente ans...

Il faillit en mourir. L'inénarrable Docteur Fraenkel, intime de Breton depuis leur jeunesse d'étudiants en médecine, plus fasciné par les littérateurs que par les symptômes, soigne les maux de ventre d'Alberto. Il souffre le martyre. Indigestion, diagnostique l'homme de l'art. Sans Diego, qui le soigne dans sa petite chambre de l'hôtel Primavera, où Alberto couche parfois pour un peu plus de confort, il serait mort. Diego lui pose de la glace et lui apporte des laitages plusieurs fois par jour. L'intervention chirurgicale nécessaire, à l'arrivée à Maloja, montra qu'il avait frôlé la péritonite.

Dans les tirades de mots spontanés, à la surréaliste, dans ses *Carnets*, revient celui d'«orchite». Orphée pourra-t-il rassembler les morceaux de son corps déchiré? Sa *Cage* ne contient pas un animal dans ses rets mais bien un thorax humain révulsé, agrippé à des formes. Toujours des boules. Difficile de ne pas y voir les testicules du corps masculin. La suffocation de la figure enfermée immerge et désoriente le regard. Qui s'y déchire et se dévore? La visibilité organique terrifie.

Alberto a rencontré Denise à Montparnasse. Belle, les cheveux noirs – la couleur de cheveux d'Annetta et de Blanche Neige –, elle a pour amant un marchand des quatre saisons, Dédé-le-Raisin, et aime l'éther. Sans doute l'obsession d'Alberto, ne pas venir à bout de l'acte sexuel, entame sa jouissance et inspire ces sculptures affectives, toutes hantées par le corps et ses atteintes. Les formes «aiguës et violentes» vont déferler.

Au-dessus de son lit, auprès de l'ampoule qui brûle toute la nuit, Alberto accroche avec une punaise le dessin de sa *Femme en forme d'araignée*. Après la pendaison de *Boule suspendue*, l'emprisonnement de *La Cage*, son arène devient une planche à l'horizontale. Autant de scènes surgissent, évoquant une castration de l'organe le plus vital, le plus intense pour l'artiste : *Pointe à l'œil*. Une cible, lancée sur une petite tête crâne minuscule, brandit sa menace : l'aveuglement.

Comment ne pas songer à l'œil découpé au rasoir dans le *Chien andalou* de Luis Buñuel ? Et à la vision déchirante où l'enfant affamé rêve de sa mère en chemise de nuit, tenant une viande saignante, désespérément désirée, qu'elle lui refuse. À l'œil énucléé dans la peinture de Brauner, si étrangement prémonitoire, puisque Victor Brauner perdra le sien dans la vie et va devenir borgne. Buñuel et Alberto parlent rêves, chez les Noailles, et leurs enfances déferlent en troupeau magique.

Main prise au doigt enserre le toucher même du sculpteur dans l'engrenage qui a broyé les doigts de Diego, bel et bien mutilé malgré son habileté faramineuse. C'est lui qu'Alberto envoie à Pouillenay dégrossir la grande statue commandée par les Noailles pour leur folie de béton armé, à Hyères, le château Saint-Bernard, confié à Mallet-Stevens. Laurens, consulté par les frères, a donné son accord à la pierre granuleuse de Bourgogne travaillée par Diego. La statue fera plus de deux mètres, monolithe dressé entre les plantations.

Alberto trace le chemin de ses exorcismes : le front fait rage, l'œil, la main. Tous les sens y passent, aux aguets, aux abois. La menace les contamine. Ses scènes horizontales dressent des circuits bloqués d'une table de jeu, où la boule tourne en rond au lieu de trouver sa cavité. Ses cibles transparentes nous montrent un jeu d'échecs où les cases ne jouent plus.

Les *Objets désagréables, à jeter*, l'horrible phallus à clous, ont déjà reconduit Alberto à l'amertume devant l'illusionnisme surréaliste. Un épisode fatal de sa vie va le réenlacer à la mort, de la façon la plus imprévue.

C'était un soir d'avril 1932. Alberto dînait à une table, Diego à une autre, au Dôme. Diego n'aimait guère la mine patibulaire de certains compagnons du groupe, aux côtés de son frère. Il rentra mal à l'aise dans la chambre qu'il venait de louer rue d'Alésia.

À la fin du repas, quelques comparses surréalistes s'excusèrent, dont le poète Tristan Tzara. Alberto se retrouva seul avec deux femmes et le beau et jeune Robert Jourdan, fils d'un très haut fonctionnaire et drogué notoire au haschisch. Alberto n'avait jamais touché à la drogue de sa vie. Ils se rendirent dans la pension de famille où vivait l'une des femmes.

Quel ne fut pas l'ahurissement d'Alberto de se réveiller en pleine nuit, seul, à côté d'un cadavre : celui de Robert Jourdan, mort d'une overdose. Alberto fila sans demander son reste. La police ne fut pas longue à retrouver son compagnonnage et fit une descente à l'atelier en lui demandant de se rendre au commissariat.

La fatidique répétition, le cadavre presque anonyme revenu à son côté et l'interpellation le jetèrent à bas. Diego, affolé, n'avait pas trouvé son frère à l'atelier. Par quelle intuition son sommeil lourd et troublé de cauchemars lui avait-il montré Alberto embourbé et se débattant en vain dans un marais dont il n'arrivait pas à le sortir ? Une fois de plus, ils s'étreignirent. Diego était

ramené à son échéance secrète : protéger Alberto s'est
mué en seconde nature.

Seul Diego exorcise son frère d'angoisse, dans leur
antre. Avec la soumission de Sisyphe, il se remet à
l'œuvre. Le monde reste sphinx, « ce sphinx qui de loin
en loin dit un mot de son énigme ». La lune de fiel de
l'opium ne reverra pas la tête ébouriffée d'Alberto, sa
tête d'aborigène. Toute sa vie, Diego s'assume de façon
régulière, intime, l'unique responsable destiné à porter
l'autre. Du second de leur lignée, Alberto fait son
second. Ils restent unis comme le jour et la nuit. Diego
le diurne trouve Alberto, de retour de ses errances, au
petit matin attelé à la tâche : « Qu'est-ce que tu fais ? Va
te coucher. » Et Diego se met au travail. Une réversibilité
indiscernable aux autruis habite les deux frères.

Alberto, après la mort de Robert Jourdan, entreprend
On ne joue plus : sur sa plaque rectangulaire de marbre
blanc, des cavités, des tombes, séparent un homme et une
femme. Ils se font signe de si loin… Un roi, une reine ?
Le roi lève les bras, il renonce, la femme de l'autre rive,
toujours sans bras, n'est qu'immobilité et silence. Le
Jugement dernier. Bonnefoy le compare au Fra Angelico
du couvent de Saint-Marc à Florence. Trois cercueils aux
couvercles soulevés, un minuscule squelette dans l'un
repose. Sur ce champ de cavités, quel sens est enseveli ?

Dans ce De profundis intérieur, comment ne pas
songer à l'horreur de ce réveil pour Alberto, obsédé par
la nuit ? Il dort sous le dessin de la *Femme araignée* et
l'ampoule allumée. Héraclite l'avait écrit : « L'homme
dans la nuit s'allume pour lui-même une lumière, mort

et vivant pourtant. Dormant, il touche au mort, les yeux éteints. »

Alberto ne joue pas. Ces figures ténues, happées par des cratères, continuent l'angoisse des corps qui se défont, l'atroce contrepoint d'organes dilacérés. Ses tables de « jeu » sont en fait tables propitiatoires et de sacrifice. Que dire de la *Table surréaliste*, ironie finale, où il met en forme dans une dissection secrète tout son désengagement du mouvement de Breton ? Le polyèdre de toujours apparaît, mais à l'extrême bout de table, prêt à tomber, une tête de femme voilée montre une seule moitié de son visage, et une main coupée, inapte à saisir quoi que ce soit, se tend. Que reste-t-il de nos amours ?

Pourtant, quelle sensibilité amoureuse est la sienne ! Il suffit de lire quelques lignes de ses *Carnets* pour en être imprégné. « Nous sommes restés seuls. Nous nous sommes regardés. Nous avons tremblé. Nous avons baissé les yeux. » Il veut une autre neige que celle dont il rêvait enfant dans la plaine infinie de Sibérie : « Mais l'ondée qui m'envahit sur le ventre d'une femme et qui me serre la gorge, mais avec une douceur infinie. »

L'homme écrit ses remous intimes. Il est aussi celui qui passe à l'acte dans *Femme égorgée,* sa sculpture hérissée de dards, de pointes : le meurtre porte à son extinction le sacrifice rituel et implacable. Il assène :

« Femme mange fils
fils suce femme
homme pénètre femme
femme absorbe homme
sur le même plan. »

La vie continue, « espèce de paysage-tête couchée », signifiera Alberto à Pierre Matisse : la tête couchée, c'est la mort. Il vient de voir à Bâle le *Christ mort* d'Holbein, et inscrit sur le plâtre : « Mais les ponts sont pourris. » Des vivants aux morts, il n'y a plus communion, communication. L'art est dessaisi de la réalité vivante, il n'exerce plus le passage tant espéré, depuis les ponts de Venise, où le jeune Alberto déambulait, entre les canaux noirs et l'angoisse qui lui serrait le cœur. L'œil cavé de la mort de *La vie continue* succède à l'œil percé de *Pointe à l'œil.* L'œuvre ne renvoie plus qu'à elle-même, objet inanimé.

L'espoir surréaliste avait étendu ses racines au tréfonds de lui, Alberto va l'en déraciner avec la même violence affective, conscient d'avoir perdu son cheminement pour des leurres. *La vie continue* sera une des dernières sculptures à l'horizontale, sorte de mise au tombeau.

C'est l'impasse, comme dans sa vie amoureuse. Diego, lui, est amoureux. Il a rencontré au Dôme la ravissante Nelly Constantin, dix-neuf ans, déjà mère d'un petit garçon élevé en banlieue. Il lui offre de partager son bouge, rue d'Alésia. Sa photographie envoyée à Stampa ne trouvera pas grâce aux yeux d'Annetta. « Elle n'est pas de celles qu'on épouse », écrit la mère à Alberto. Diego vivra vingt ans avec Nelly, ne l'épousera jamais, ni elle ni une autre.

La première exposition individuelle d'Alberto, en mai 1932, est célébrée par Zervos dans les *Cahiers d'art.* Picasso, l'aîné de vingt ans, se précipite au vernissage, avec son œil qui mange tout. La crise économique ronge le marché. La même année que *Femme égorgée* et son terrifiant emmêlement d'insecte, une autre femme se dresse, nue, sans bras, sans tête, les jambes jointes, le creux toujours tracé sous les seins. Est-elle spectre, avec son trou, sorte d'utérus rapproché des seins ? Pierre Matisse, l'ancien camarade de la Grande Chaumière, devenu grand marchand d'art à New York, ne s'y trompera pas et la première sculpture qu'il achètera à Alberto sera cette *Femme qui marche,* prémonitoire des futurs chefs-d'œuvre. « Plus que tout, une femme debout, les bras pendants, immobile comme un point d'interrogation », selon les mots de Leiris, va surgir.

L'été 1932, à Stampa, célèbre les fiançailles des autres : Bianca, l'amour de jeunesse d'Alberto... Bruno a rencontré la femme de sa vie, Odette, et Ottilia à son tour le docteur Berthoud, admirateur des peintures de Giovanni et alpiniste passionné : frère et sœur se fiancent, sous la suspension tant aimée, où ils se ramassaient tous quatre enfants, dans la salle à manger des repas et des contes...

C'est à la fin de cet été, entre les siens, que se forme en Alberto *Le Palais.* Il lui suffira d'une journée d'automne pour le réaliser, tant il le porte en lui. *Le Palais à quatre heures du matin* fut peut-être rêvé sous le tilleul du jardin, son encre porte l'enfance, la présence ineffaçable de la mère, qu'aucune passerelle ne peut relier à une autre femme. Il n'y a pas d'entre-deux. Lui est au milieu, encore embryonnaire. Du moins se vit-il ainsi dans son palais mental, son palais transparent : son atelier.

Comment ne pas le reconnaître ? Toiture en triangle du bâtiment de gauche, rue Hippolyte-Maindron, l'étage en tour inachevée, les deux verrières à droite. La transparence des cages qu'Alberto dresse nous livre une colonne vertébrale, celle de la femme aimée, Denise : « L'épine dorsale que cette femme me vendit une des toutes premières nuits que je la rencontrai dans la rue. » Elle l'émerveillait. « Nous construisions un fantastique palais dans la nuit (les jours et les nuits avaient la même couleur comme si tout se fût passé juste avant le petit matin ; je n'ai pas vu le soleil pendant tout ce temps), un très fragile palais d'allumettes. » Au moindre faux mouvement, Alberto voit s'écrouler un morceau de leur minuscule construction. La nuit qui précéda leur rupture, Denise rêva d'oiseaux squelettes. Et dans une autre cage, le squelette d'un oiseau en vol habite le Palais. Freud a si souvent imagé dans les rêves le pénis par l'oiseau que son vol meurtri est encore plus symbolique.

Au milieu une tour dont le haut s'est brisé contient un objet, sur une planchette rouge, auquel Alberto s'identifie : une boule, toujours. Embryon, testicule ? De l'autre côté, une figurine de femme s'avance, se détache sur un triple rideau. « En proie à un charme infini, je fixai le rideau brun au-dessous duquel filtrait, le long du parquet, un mince filet de lumière. » La chambre des parents se devine, sa scène primitive, le triple rideau sur lequel son regard butait, écho opaque de sa petite trinité avec le père et la mère. Alberto nous dit, de la statuette de femme, sans bras, encore : « Je découvre ma mère, telle qu'elle a impressionné mes premiers souvenirs. La longue robe noire qui touchait le sol me troublait par son mystère ; elle me semblait faire partie du corps et cela me causait un sentiment de peur et de désarroi. »

La célèbre ambivalence entre le bon et le mauvais sein, exalté par Mélanie Klein, fait de l'enfant divisé entre la haine et l'amour sa proie. Les rêves, les mots d'Alberto scandent le champ de bataille... Le blanc et le noir des pulsions primitives, le blanc de la neige et de l'innocence, le noir de la longue robe de la mère.

L'Île des morts, la peinture symboliste de Böcklin, était la préférée des deux frères. Diego, l'amoureux des animaux, bien des années plus tard, composera son propre *Hommage à Böcklin*, dans une de ses plus célèbres sculptures *La promenade des amis* : un chien flaire l'autre, contemplés par le cheval, célébrant l'union des animaux devant un palmier magique. Ici, Alberto fait sa propre transmutation, dans son *Palais à quatre heures du matin*. Qu'est-ce que l'amour ? Une construction fragile, menacée, et la plénitude de la nuit avec la femme aimée va demeurer emmurée dans des cages, dissoute, défaite, par ce rêve de l'oiseau squelette annoncier de leur séparation. Ciel interdit au vol.

Seule, la mère a un toit. Bruno rapportait qu'Alberto enfant construisait des maisons de neige à ciel ouvert, sans toits, labyrinthes de pièces communicantes : elles s'interrompaient toujours à mi-hauteur. Il n'a qu'une maison, celle de la mère, et il en sera toujours ainsi.

Donna Madina Visconti, au cou de cygne – inspira-t-elle *La Femme étranglée* ? –, se fascine pour Alberto. Ses admirateurs du « grand monde » ne comprennent pas pourquoi elle ne quitte plus ce sculpteur dépenaillé, avec sa tignasse et son visage taillé à la serpe. Alberto lui fait cadeau de deux dessins de l'atelier. Sur l'un d'eux, le *Palais* trône, son tréfonds, son fil d'Ariane. Autant lui donner une part de lui-même. « Les chambres que j'étais », lui confie-t-il. Sur l'autre figurent au crayon son imperméable suspendu au clou, sa tasse de café abandonnée à côté du petit lit et son cher polyèdre, son inséparable. Depuis le *Scribe accroupi,* copié au Louvre, et ses polygones organisés en facettes, Alberto a trouvé dans sa manière de réduction polyédrique des corps et des visages sa propre réponse au problème des proportions. Le polyèdre ne quitte pas son refuge de l'atelier, et c'est son sosie, son double, qu'il donne à Madina dont il est épris, à côté de ses vêtements suspendus sur son dessin. Bien des années plus tard, vieillie et ruinée, Donna Madina les vendra, pour nourrir ses cinquante chats, à Leymarie, représentant l'État français à la villa Médicis, et elle en vivra.

Caresse, la sculpture portant en sous-titre *Malgré les mains,* injustement interprétée comme un ventre gravide de femme enceinte, montre une main impuissante sur le marbre, et qui ne peut l'étreindre. Ces mains inutiles font songer à ce mot si beau de l'écrivain Erri de Luca, aux paumes abîmées par ses journées ouvrières : « Si je touchais la femme je la blessais. Alors je l'embrassais avec les poings. »

Phénix qui se brûle, Alberto ne cesse de réinventer son espace. Mais le mystère reste insondable et le chemin vierge, comme la neige de l'enfance quand elle vient de tomber.

La première exposition personnelle d'Alberto avait eu lieu en mai 1932 chez Pierre Colle. Un an plus tard, il publie quatre textes autobiographiques, dans le dernier numéro du *Surréalisme au service de la révolution* : *Poème en sept espaces, le Rideau brun, Charbon d'herbe* et l'implacable *Hier, sables mouvants,* où il révèle la férocité de ses fantasmes d'enfant. Déjà le cercueil de Blanche Neige dévorait la femme et retenait le fantasme. On peut imaginer l'effet de ses rêveries sur ses parents... Ni les «jeux luisants des aiguilles et des dés tournants» n'ont effacé la goutte de sang sur la peau de lait et la menace d'une féminité sanglante, si souvent apparue dans les scénarios infantiles de la sexualité. «Un cri aigu se lève soudain qui fait vibrer l'air et trembler la terre blanche.» Terre de Stampa, couverte de neige, devenue craintes et tremblements. Seul le dévoilement intéresse Alberto et il livre son obsession du meurtre sexuel depuis sa plus tendre enfance, ses fantasmes de viol avant de s'endormir, aux temps les plus reculés de la grotte, de la roche noire, son ennemie, du trou sauveur dans la neige, de l'isba rêvée en Sibérie... De quoi ébranler son père, qui s'inquiète tant pour son Alberto qu'il peignait encore, il y a deux étés en *Alberto dessinant une coupe de fruits*... L'été mortel va s'ensuivre, se greffer sur les publications fatales de l'enfant qu'il fut, assoiffé de massacres, assassin en rêve.

Giovanni Giacometti a soixante-cinq ans et toute sa carrière de peintre figuratif reconnu lui donne le sentiment, même s'il tait son trouble, qu'Alberto s'égare. Quels abîmes psychiques exhibe-t-il? Buñuel, Dali, par qui le scandale arrive, l'ont-ils envoûté? Leur *Chien andalou* a traversé les frontières du silence et des montagnes de Stampa. Personne n'ignore la séquence née de leurs songes, l'œil tranché par une lame de rasoir chez Buñuel, le rêve des fourmis pour Dali : la lune traversée par un nuage, une main trouée grouillante de fourmis, une aisselle de femme, un oursin. Pour Giovanni, son fils s'est fourvoyé au milieu des surréalistes.

La rage de l'expression, dit Fédida, est une éjaculation. Et cette rage tient au corps Alberto, qui harcèle les mots. Les flagellations, les crucifixions, les tortures et les viols, les naufrages et les incendies de Callot l'inspirent. Plus encore, dans ses espaces qui grouillent de personnages minuscules, «dessinés avec une avarice aiguë de lignes incisives et précises», le blanc, vide et impassible. Des vierges auxquelles on arrache les seins à coups de tenailles jusqu'au saint qu'on écrase. Ces mêmes grands vides et lignes incisives le ravissent dans les courses de taureaux de Goya, ses têtes de mouton livides et mutilées, ses sorcières obscènes. Le *Radeau de la Méduse* de Géricault surgit, ses folles et ses fous. Alberto, avec sa lucidité impitoyable y voit l'érotisme se réfugier dans les chevaux et leurs robes…

Diego accueille, conjure, travaille, fait revenir l'être cher et l'aide à faire exister ses rêves. Le médium, c'est lui. Entre le sauvé et le perdu, la grotte de la mémoire et sa respiration sont devenus l'atelier. Leur monolithe.

Alberto produit *Fleur en danger* : une corde tendue, le fil du temps, de la croissance, relie le petit socle de la naissance à un arc menaçant. Un simple sursaut peut décapiter la fleur, la fracasser.

Le fracas va s'étendre à l'être qu'Alberto révère le plus au monde, son père. Giovanni, peu après les publications bouleversantes d'Alberto sur son enfance, fut victime d'un accident vasculaire, en juin de cette année 1933, et sombra dans le coma. Comment Alberto pourrait-il rester aveugle à cette étrange coïncidence du calendrier ? L'étau de son cœur ne le lui pardonnera pas.

Le retour de la Melencolia...

C'est en 1933 que la *Melencolia* de Dürer fut exposée au Petit Palais, à Paris, du printemps à la fin de l'été. L'été même de la mort de Giovanni.

L'ange au compas, plongé dans la contemplation du polyèdre, revient... On sait quel rôle il joua dans l'éducation artistique d'Alberto : il le recopiait sans cesse, dans l'atelier du père, tentait aussi de reproduire le monogramme d'Albrecht Dürer pour le A d'Alberto. Le retour du refoulé se précipite.

C'est aux côtés de son père qu'Alberto a découvert les maîtres anciens, les dynasties touffues de la nature morte hollandaise réunissant père et fils aîné, cadet et benjamin... Pieter Bruegel l'Ancien eut pour fils Pieter II le Jeune, dit d'Enfer, et Jan Ier le Cadet, dit de Velours. Il allait de soi de suivre les brisées paternelles.

La *Melencolia* de Dürer fut copiée sans relâche par Alberto enfant, puis adolescent. Ailée, assise, presque accroupie sur une dalle de pierre, au pied d'un édifice inachevé, sa face noire, cheveux épars, est éclairée par un arc-en-ciel lunaire. Cet ange assailli de néant tient sa tête dans sa main et fixe le vide. L'autre main, dont l'avant-bras repose sur un livre fermé, manie machinalement un compas. Elle a le regard fixe d'une quête intense et stérile, un chien famélique, la peau et les os, ramassé en boule au bas des plis de sa jupe, un angelot perché sur une meule hors d'usage, pour seuls compagnons. Un admirable cristal dont Dürer a gravé les arêtes et les plans, lui fait face dans sa géométrie irrégulière : polyèdre énigmatique, emblème de l'inquiétude. Dans la figure allégorique de la gravure de Dürer, le polyèdre est au cœur de la création. Il ne quittera plus Alberto et l'obsédera à vie. Un désordre hétéroclite règne sur le sol jonché d'instruments. Un sablier, une balance, un carré magique de chiffons, l'encrier et le compas proclament les lois mathématiques.

Dürer a fait de la *Melencolia* un être pensant, plongé dans l'incertitude, ailée mais tapie au sol, sa face d'ombre sous la couronne de renoncules d'eau et de cresson des fontaines, une bourse et un trousseau de clefs pendus à sa ceinture. Sa rêverie désœuvrée la réduit au désespoir : l'être créateur ne peut atteindre ce à quoi il aspire. La chauve-souris semble pousser un cri de mauvais augure.

Dürer vient d'éprouver un grand chagrin avec la mort de sa mère. Les éléments numériques de cette date – le 17 mai 1514 – se retrouvent intentionnellement dans son carré magique.

Tous ces signes ont pénétré le psychisme d'Alberto enfant. Son compas, Alberto le brandissait partout, à la terreur de Bruno, le petit frère. Bruno se plaignait, lors de ses poses pour Alberto, que son frère « d'habitude si doux, si gentil, dès qu'il se trouvait devant son modèle, devenait un tyran… Il avait un vieux compas de fer un peu rouillé avec lequel il prenait les mesures de ma tête. Ça m'effrayait quand il avançait les pointes de ce compas vers mes yeux ».

Le retour de l'ange de Dürer va prendre le sens, pour Alberto le superstitieux, d'une veillée funèbre à la mort de son père. Sa prémonition de « l'été pourri », pour reprendre l'expression même de ses *Carnets*, où il va le perdre. Ce même été, Bianca, son amour de jeunesse, se marie, elle épouse Mario Galante. «Oh mes amours, faut-il qu'il s'en souvienne, la joie venait toujours après la peine. Vienne la nuit, sonne l'heure, les jours s'en vont, je demeure», frémissait Apollinaire devant le pont Mirabeau. Seul au monde, comme Alberto le ressentit sur les ponts de Venise, perdu entre les chats errants. Chaque poète voit couler ses larmes d'amour, de la Seine aux gondoles.

La *Melencolia*, sa fixité morose, ange ployé qui ne se sert pas de ses ailes, hante plus d'un créateur. Rodin s'en est inspiré pour son *Penseur*, Nerval retrouve le soleil noir de la mélancolie versant ses rayons obscurs sur le front de l'ange rêveur jusque sur les plaines lumineuses du Nil... Du drapeau noir planté par Baudelaire aux gris de Musil, la morne figure baigne de sa brume la mélancolie créatrice. Mercure, le messager aux pieds ailés, dieu des artistes, est détrôné par Saturne, le dieu vengeur.

L'été pourri, sans bornes aucunes...

«L'existence n'est pas quelque chose qui se laisse penser de loin : il faut que ça vous envahisse brusquement, que ça s'arrête sur vous», écrira Alberto. Ces moments d'illumination et de destin nous accablent ou nous ressuscitent.

«Tout ange est terrible», a dit Rilke, et ces retrouvailles avec l'ange au compas du passé charrient une charge affective aussi forte que la grotte de Pepin Funtana où les petits Giacometti pouvaient tenir ensemble. Diego, déjà épris du règne animal, disait de leur grotte : «C'est comme une grande mâchoire de bête. » Alberto est de retour à leur antre, devenu l'atelier.

Ni son cadastre anatomique, ni son écriture de l'insurrection, ni son *Palais* ne vont le sauver de l'explosion : leur père a une hémorragie cérébrale.

Se sentant fatigué, Giovanni se rendit sur la suggestion d'un médecin ami et collectionneur de ses toiles, à Glion, au-dessus de Montreux, dans son sanatorium. Il avait renvoyé Annetta à Maloja ouvrir la maison d'été, quand il sombra dans le coma. Annetta, Bruno et Ottilia le rejoignirent, espérant encore ne pas avoir à alerter Alberto et Diego. Mais le malade ne reprit pas conscience… Ce dimanche atroce du 25 juin, la pluie tombait sur Glion, ses forêts et ses montagnes. Alberto et Diego prirent le train de nuit à la gare de Lyon.

Déjà Alberto commença à se sentir mal. À la sortie du train, Bruno leur annonça que leur père était mort. Ils partirent tous trois en voiture pour Glion, où Annetta et Ottilia attendaient. Ils entrèrent dans la chambre de clinique où reposait le corps.

Alberto, pris de fièvre, dut s'aliter immédiatement dans la chambre voisine et Bruno décider seul des dispositions pour le transport de Giovanni à Stampa et le service funèbre. L'enterrement dans le cimetière de San Giorgio à Borgonovo prenait des dimensions nationales et un représentant du gouvernement rendrait hommage au défunt. Prostré, cloîtré, couché, les membres rigides et étendu de tout son long, Alberto ne répond même pas à son frère Bruno venu le consulter en tant qu'aîné. Lui, l'incandescent, s'est mué en gisant.

Il ne put quitter Glion le lendemain pour accompagner la dépouille paternelle et il n'assisterait pas aux obsèques. Il en eût été incapable, tant le séisme de cette mort démantibulait son être entier, corps et âme jetés dans un gouffre insondable.

Apollinaire écrit qu'on ne peut transporter partout avec soi le cadavre de son père. Il arrive aussi qu'on ne puisse à proprement parler le porter. Ce sera le cas d'Alberto, inapte et interdit de se rendre au rituel funéraire. La procession des hommes de Borgonovo, sous le chœur des voix, s'ébranlera sans lui. Le dernier chemin parcouru par le corps de Giovanni Giacometti avant d'entrer à jamais dans la terre de la vallée s'accomplira sans que son fils aîné et tant aimé, Alberto, accompagne sa dépouille.

Il reste couché, incapable de se lever, s'est fait porter malade et il l'est. Immobilisé, comme dans les contes, par la malédiction. La vague le brise en lui enlevant son père bon et bénéfique, le juste peintre de tout ce que la vision de son fils renie, l'ensevelit dans une perte irrémédiable. Les bruits du cœur se font lancinants, du cœur sauvage de toute histoire d'amour.

Dés-obéir, la tâche est prométhéenne. On ne le dira jamais assez, nous éprouvons jusque dans nos vies ce retour ambivalent du fantôme – notion freudienne de l'éternel retour... Tout ce que nous avons banni, exécuté, exécré, voilà que nous nous mettons à le reproduire : Freud appelle cette alchimie « l'obéissance rétrospective ».

La vie, cette éternelle débutante, s'en mêla. Alberto rejoignit sa famille à Maloja, et décida de ne pas s'attarder : un travail urgent exigeait son retour à Paris. Quel travail ? Il lui faudra une année entière avant d'affronter son devoir funéraire. Un an plus tard seulement il pourrait concevoir la pierre tombale de Giovanni, et Diego l'ériger alors dans un bloc de granit local. Un bas-relief portera le nom du père, l'oiseau et son calice, métaphore chrétienne de l'Esprit saint, le soleil et l'étoile, promesses de renaissance.

Encore une fois, et pas n'importe laquelle, Diego s'efface. Il consent l'initiative à son aîné, lui obéit presque inconsciemment et l'attend. Attend son bon vouloir, tant les deux frères sont unis, encore plus réunis par ce deuil. Diego aurait pu sculpter seul la pierre tombale, se substituer à son frère défaillant. Il n'en aurait pas rêvé… L'ordre Giacometti a ses commandements, pas seulement ses commandes. Et il en sera ainsi jusqu'à la mort.

Alberto est le dominant. Diego obtempère sans même se poser l'ombre d'une question. Cet ordre va de soi, dominant-dominé, même si, obscurément, celui qui protège n'est pas celui qu'on croit. Alberto souffre, et Diego, s'il n'est pas son souffre-douleur, est le répondant de son frère. Indéracinable, il le suit à son rythme. Beaucoup plus que sa cheville ouvrière, Diego appartient au territoire sacré.

Le cube, son totem et tabou

Depuis qu'il est petit, Alberto se pelotonne avec son trésor, son morceau de pain, dans un trou sous la neige. L'atelier est devenu sa grotte et la poussière sa neige. Rituel, il n'a de cesse d'enterrer ce qu'il a perdu. Le scénario de la mort du père l'habite. «Je veux mourir à soixante-cinq ans», décide-t-il. Il le dira, le répétera. C'est l'âge de Giovanni quand il meurt. Alberto mourra exactement au même, dans la fatalité paternelle.

Terré entre ses quatre murs de l'atelier, dans l'étroitesse de son abri, il s'attelle à une étrange tâche : son *Cube*.

«Calme bloc ici-bas chu d'un désastre obscur...» Paraphrasant Mallarmé, le *Cube* contient le désastre de la mort du père. Le dépositaire de la maîtrise des dimensions le hante : le regard clignant du père, toujours en train de jauger le visible, de le mesurer, pour en saisir la grandeur nature. Sur ses photos, Giovanni apparaît souvent au travail les yeux fermés.

Alberto se réfugie, au sens littéral, comme il se réfugiait sous l'excavation de la pierre dorée, dans l'élaboration mystérieuse de son *Cube*, totem paternel dont il fera le sien propre en y apposant sa signature. Son polyèdre obsessionnel de toujours, s'il le réalise en plâtre au début de l'année 1934, c'est des années plus tard, entre 1954 et 1962, qu'il le fera produire en bronze par le fondeur Susse.

Douze faces visibles s'érigent sur la face évidée qui soutient le tout. Treizième face invisible du grand absent. Treize tabou qu'Alberto conjure.

Sur son polyèdre, Alberto griffe, entaille un visage : son autoportrait, en traits nerveux et entrecroisés, orbites agrandies comme dans la *Tête du père II.*

Il n'en sort pas, il revient à lui... Freud éclaire cette identification narcissique avec l'objet : il « devient alors le substitut de l'investissement d'amour, ce qui a pour conséquence que, malgré le conflit avec la personne aimée, la relation d'amour n'a pas à être abandonnée ». Dans cet objet esthétique d'angoisse, Freud voit depuis *l'Inquiétante étrangeté* le retour psychique du refoulé. L'ambivalence et le conflit commandent la répétition...

Alberto ne s'y trompe pas : « Si j'appelle ceci un *Cube,* alors que vous voyez bien que ce n'est pas un simple cube, c'est qu'en fait j'ai tenté de produire un objet qui soit innommable, qui soit l'innommable par excellence, car son nom reste enterré... »

Alberto n'en démordra pas. « Pour moi, c'était une tête », confie-t-il de son *Cube.* Pas n'importe quelle tête, celle du père, face enterrée, perdue à jamais, en « l'été pourri, sans bornes aucunes », insiste Alberto dans ses *Carnets.*

Le *Cube* est porteur de la face enterrée du père, désespérément inerte. L'inerte contre la vie. « Cube orphelin », écrit Georges Didi-Huberman de ce Colossos, double du mort absent. Le couple père-fils fait miroir au polyèdre et à son écriture griffée. L'autoportrait gravé par Alberto nourrit son deuil. C'est son ex-voto à lui.

Bien des années plus tard, dans l'intimité des séances de pose à l'atelier pour son portrait, James Lord lui posera la question : « As-tu jamais fait une sculpture réellement abstraite ? – Jamais, à l'exception du grand *Cube* que j'ai fait en 1934, et encore je le considérais en réalité comme une tête. De sorte que je n'ai jamais rien fait de véritablement abstrait.»

Toute sa vie, dans l'atelier suisse de Stampa, l'atelier du père, Alberto travaillera sous le regard des effigies paternelles, en face des têtes sculptées de Giovanni et d'Annetta.

D'autres que lui ont connu pareil bouleversement : Shakespeare écrivit *Hamlet* après la mort de son père, Mozart conçut alors son *Don Juan*, et Freud se mit, dès le deuil paternel, «la perte la plus poignante dans la vie d'un homme», à l'*Interprétation des rêves*, le livre qui allait sceller l'avènement de la psychanalyse. En exergue de son livre, Freud choisit la citation latine *Flectere si nequeo superos, acheronta movebo*, soit *Il faut tuer les ancêtres afin que puissent se mettre en mouvement les fleuves souterrains*. Egon Schiele idolâtrait son père qu'il perd à quinze ans, de la syphilis. «Regarde-moi, Père, moi, toi qui es pourtant là, embrasse-moi.» La mort brutale, à vingt-huit ans, de ce météore de la peinture laisse une œuvre géniale, dont les élongations douloureuses de nus ne sont pas sans s'apparenter aux vertigineuses silhouettes à venir des hommes et des femmes d'Alberto.

André du Bouchet écrit : «Dessins d'Alberto Giacometti – par blocs froids détachés de quelque glacier à facettes qui tranchent». Le couperet de la glace, le cristal de larmes d'Alberto depuis sa montagne natale saisissent son *Cube*. Quand les glaciers reculent, les plantes occupent l'espace, mais là ils sont à vif. Le portrait infini du père célèbre aussi la perte pour Alberto de la généalogie, puisqu'il est stérile depuis la maladie de ses testicules. Les «joyeuses», désigne-t-on les testicules en langage populaire. Molloy, lui, le personnage de Beckett, les qualifie «mes frères de cirque.» Beckett écrit dans *Têtes mortes* :

> «Petit corps petit bloc
> cœur battant gris cendre seul debout.»

Bientôt, Alberto et Samuel Beckett se rencontreront dans leurs interminables pérégrinations de la nuit, et deviendront amis. Beckett, dont les personnages agissent de moins en moins... Genet disait de Sam : «C'est un grain de sable monumental.»

Les seules mises au monde d'Alberto sont, seront, ses œuvres. «Je cherche en tâtonnant à attraper dans le vide le fil blanc invisible du merveilleux», écrit-il dans *Charbon d'herbe*. Reconnaître le filament du spermatozoïde fécondant l'ovule féminin et le merveilleux de sa fécondation éclaire sa confidence. On voit d'ailleurs réapparaître dans le même élan de ses mots le conte inoublié des soirs d'enfance, sous la suspension, quand Annetta ouvrait leur livre de Grimm, marqué à leurs quatre prénoms de frères et sœur. La goutte de sang de la Belle, piquée au fuseau, gardera toujours sa résonance sexuelle et infantile.

Le père est mort, Diego est là. Les hiéroglyphes couvrent les murs décrépis de leur atelier, leur grotte. La pénombre, la fumée, les outils maculés de peinture et de plâtre habitent leur neige devenue poussière et cendres. Eux la reconnaissent. Le cher visage de leur passé. Le même.

Pavillon nocturne, le titre sous lequel Alberto présente son *Cube* dans le numéro du *Minotaure* : un habitacle où vit, survit son père depuis sa pierre tombale. « Nous contenons tous, a écrit Jean Cocteau, une nuit que nous connaissons mal ou que nous ne connaissons pas. Cette nuit veut et ne veut pas sortir de nous. C'est le drame de l'art, un véritable combat de Jacob et de l'ange. »

Terra incognita de la bouleversante révélation, l'œuvre fait passage à l'acte entre rêve et symptôme, et fraye sa filiation. Le *Cube* relie le mort et le vivant, de la nuit de l'inconscient à sa mise au jour. L'amour est un acte manqué, comme faire une sculpture.

La gardienne du vide : l'objet invisible

Au printemps 1934, Alberto s'attaque à son grand œuvre, l'obsédante et hiératique figure sur trône, femme au regard hanté, nue, une tête d'oiseau à long bec posée à côté d'elle, le bas des jambes immobilisé par une planchette-tombeau reposant sur les pieds : *L'Objet invisible*, ou *Mains tenant le vide*. Comment ne pas entendre « Et maintenant le vide » ?

L'étrange gardienne, avec ses mains à la Giotto, c'est l'ange natal : les yeux n'existent pas. Deux roues étoilées, l'une intacte, l'autre brisée. La bouche reste ouverte, comme celle des morts.

Cette femme nue ne donne pas le sein. Les cuisses raides, inflexibles et serrées, défendent, empêchent tout accès à son sexe, intendantes du rien. Répressives ? Non, parfaites et glacées. Ses membres, extraordinairement minces, lisses et durs tiennent davantage des pattes d'insecte que des bras. Ses bras ne berceront plus. Ses mains de Pietà sans petit enfant tentent en vain de tenir, de retenir, elles ne se mesurent qu'au vide. Ile flottante de l'enfance, maison de neige, paradis perdu. Ce plâtre surnaturel fait spectre entre deux frontières.

C'est un adieu que célèbre Alberto à l'objet onirique, et plus obscurément à sa jeunesse. L'oiseau funéraire, posé sur le siège, à côté du ventre étroit et rigide, le rend encore plus désespérément vide. Les mains, aussi belles que celles de la Madone entourée d'anges de Cimabue, tant revisitée au Louvre et copiée par lui, leurs doigts effilés, ravissent le regard tout en l'immobilisant sur le rien.

Le tumulte incessant des surréalistes a reconduit Alberto à une madone de l'absence. Que dire du travail entrepris à Maloja, pour réaliser une grande statue, la première depuis celle qu'il avait acheminée avec Diego dans la propriété du Midi des Noailles ? Le grand monolithe, entrepris l'été 1934 dans l'atelier même du père, va avorter : « 1+1 = 3, je ne peux pas. » L'impotence d'Alberto ne peut tromper sur le blocage que la féminité féconde engendre en lui.

La fascination de toujours d'Alberto pour les statues-cubes égyptiennes, visages émergeant d'un bloc de granit, les crânes découpés en cristal de roche des têtes de mort mexicaines au musée du Trocadéro, les crânes surmodelés des Nouvelles-Hébrides, va se réfugier dans le masque et son tabou. Georges Bataille écrit : « Rien n'est *humain* dans l'univers inintelligible en dehors des visages nus qui sont les seules fenêtres ouvertes dans un chaos d'apparences étrangères ou hostiles. L'homme ne sort de la solitude insupportable qu'au moment où le visage d'un de ses semblables émerge du vide de tout le reste. » On croit rêver tant ces mots apparaissent la saisie de tout ce qui va surgir, dans la manne prodigieuse des visages peints et sculptés par Alberto.

De signe en signe, Alberto nous dessine la trame de son désir de sens. « Le masque le rend à une solitude plus redoutable : car sa présence signifie que cela même qui d'habitude rassure s'est tout à coup chargé d'une obscure volonté de terreur – quand ce qui est humain est masqué, il n'y a plus rien de présent que l'animalité ou la mort. » Là encore, les mots de Bataille sont inégalables. Bataille voit dans la bouche notre «proue animale». Le goût morbide d'Alberto pour les bouches ouvertes des morts sera long à exorciser.

Dans les rites funéraires Guerrero, les figures Mezcala, anthropomorphes, debout, en andésite verte, polies pendant des semaines, ont l'apparence de galets de rivière et ressemblent à des haches, outils essentiels de l'homme primitif pour casser les nuages et répandre la pluie. Le sculpteur anglais Henry Moore et André Breton succombent à leur mystère… On ne peut oublier les urnes de deuxième funéraille.

Messagère d'une deuxième funéraille, cette gardienne énigmatique d'Alberto, troublant Janus sans descendance ? Dans la tête de l'*Objet invisible*, Breton voit une vipère. Fasciné par les trouvailles, du psychisme au marché aux puces, il y traîne Alberto, qu'il a prié en vain, à maintes reprises, de lui modeler une pantoufle de Cendrillon en cendrier. Ce sera peine perdue… Aux puces, Alberto élit un masque de métal, sorte de heaume à fentes horizontales au niveau des yeux, qui sera photographié par Man Ray. Breton se rabattit sur une cuiller de bois faisant corps avec un petit soulier.

Breton est loin de réaliser, devant l'*Objet invisible*, quel instant décisif cette porteuse d'annonciation célèbre pour le sculpteur. Cet ange morbide d'annonciation, son ange à lui, pas celui de Dürer, va enlever Alberto au surréalisme.

Le nœud n'a pas été défait, dans son psychisme qu'il a essayé en vain de capter, de posséder. Tout ce qu'il a sorti de l'ombre n'a rien résolu... Ses tables de jeu – comment jouer? – ont abouti à *On ne joue plus*. Quelle boule humaine, trop humaine, vouée à un retour sans issue, sans qu'elle rencontre la cavité! Infamie du leurre.

Les instruments de torture qui ont broyé les doigts de Diego enfant, il les a tous fait réapparaître : roues, courroies, cages de fer, manivelles. L'autre main, la gauche – la main mutilée de Diego est la droite – Alberto l'a désanimée dans *La Main prise*.

La désaffection d'Alberto à l'égard des surréalistes est exacerbée par la mort de l'être auquel il tenait le plus. Les oukases de Breton l'insupportent, et il ne se gêne pas pour déjouer, en commandant sous son nez un cognac, ses ordonnances de boire vert, à son quartier général, le café de la place Blanche, appelé par Artaud café du Prophète. Breton, port de tête léonin, crinière et prestance, Brassaï le voit en «Oscar Wilde qu'une brusque substitution glandulaire aurait rendu plus énergique, plus mâle». Jupiter en personne, dit-il encore, laissant Apollon à Éluard.

En 1933, quand Alberto commence de réaliser *Le Cube*, il vient d'achever la *Table surréaliste*, et son buste féminin démembré, demi-bouche et œil unique sous le voile, main coupée impotente, précède l'ironique *Mannequin* : Alberto reprend sa *Femme qui marche*, avec son trou entre les seins, mais si belle et mystérieuse, en ajoutant au plâtre bras et mains manquants, en bois peint, et une tête composée d'un débris de violoncelle. Impossible de ne pas déceler le malaise du sculpteur devant ces pseudo-collages entre éléments disparates, tant vantés par le groupe surréaliste. Il va s'en écarter, rompre avec ses objets oniriques « surnaturels », et les laisser choir.

L'étude pour l'eau-forte parue dans les *Pieds dans le plat*, de René Crevel, montre un homme en cage, mi-écorché mi-squelette, en équilibre entre les barreaux, et nous fait retrouver l'habitacle terrifiant de la *Cage*.

Son obsédante figure de l'*Objet invisible*, cette étrangère hautaine, prisonnière des temps, du temps d'Alberto, c'est... sa jeunesse. La disparition de son père l'emporte avec lui au royaume des morts. L'adieu du sculpteur à toute une part de son œuvre, sa condamnation intime, tient entre les mains si belles de sa vierge-spectre : le vide d'enfant, le vide d'homme crient.

C'est la pierre angulaire du combat que toute mélancolie déclenche, la pierre sur laquelle la *Melencolia* de Dürer est assise. Sise. Trône fatal, il eut pour princes Faust, dans son cabinet, saint Jérôme, Mozart, Cervantès, Botticelli, Nerval et... Alberto.

Le véritable séisme qui secoue Alberto à la mort de son père, et l'a jeté dans une incapacité absolue de se

lever, de suivre le cortège funéraire, se mesure maintenant à son silence. Son silence de mort émerge dans
le spectre. Lui, le harceleur de mots, ce harangueur
né, causeur effréné, toujours prêt à répéter, fût-ce au
premier venu, sur une table de bar, les récits de ses
scènes capitales, sa rencontre avec la mort et son glas –
la nuit passée auprès du cadavre de Van Meurs, dans la
haute montagne, ou la surprise saumâtre de se retrouver
couché auprès du beau Robert Jourdan, drogué notoire
qui lui est inconnu, après un dîner à la Coupole, ses
rendez-vous fatidiques avec le gisant, étalons de son
histoire –, garde bouche cousue sur la mort de Giovanni.
Lui, le beau parleur, « commandant à ses mains comme
à des ouvriers qui procèdent à des fouilles », notait
Leiris, porte sa guerre dans les conversations, se fait
poignant de certitudes, d'incertitudes, les martèle de
son « hein ? » interrogateur, à ses camarades, de contradictions en contradictions et se dévoile. « L'entretien
que nous sommes », disait Hölderlin. Quand Alberto
est lancé, l'accent âpre et la fureur juvénile, rien ne
peut l'arrêter. Plus sa solitude est grande, plus il est en
quête de contact, et il peuplera toujours les cafés de ses
moments d'abandon ou de retrouvailles.

Raymond Mason écrit : « La vie d'un artiste est
déchirante, toujours suspendue au bord du succès ou
du ratage, mais le dur masque de bataille reste dans
l'atelier... Giacometti ne faisait pas exception sauf qu'il
n'était chassé de l'atelier que par les tiraillements de la
faim et le travail obsessionnel de l'atelier se prolongerait
un certain temps au café. » Il dessinait intensément sur les
nappes, même sans plume ni crayon entre les doigts.

Les frères Giacometti seront pour toujours des adeptes du café proche, leur cantine, inséparables de leur journal avec lequel ils vivent le monde. Celui d'Alberto ne le quitte pas, il griffonne dessus à la pointe Bic, trace ce qui prend naissance en lui dans la marge, sur le guéridon même, à côté de la tasse fumante. Mais cette fois, la mort de son père est un tel événement qu'il le laisse muet.

Son silence, retentissant, révèle sa forclusion. Il ne dit mot. Le silence est sa chasse gardée, son autonomie. Diego, le seul qui pourrait prendre la parole, se tait.

Le recueillement intime d'Alberto sur son deuil non seulement ne sera pas levé, mais il touche au secret, au sacré de son être et va déclencher une transformation de son art. Lui qui ne touchait pratiquement pas à la peinture, domaine réservé s'il en était à son père, deviendra le peintre le plus extraordinaire des portraits d'hommes et de femmes. Pour l'heure, il tourne casaque et va dire adieu à son chemin de cavalier seul pour le retour au modèle, à la ressemblance, tant copiés et enseignés par le père. Toute son exaltation court s'y réfugier, alors qu'il avait confié à ses *Carnets* son aversion complète, son impossibilité de faire un tableau naturaliste en trois dimensions.

«Hérédité, seul dieu dont je connaisse le nom», s'exaltait Nietzsche. Les Rodin qu'Alberto préfère à tous célèbrent cette intime fécondité : *Mère et fille mourante, le Sommeil, la Pensée, Fugit amor, Dernière Vision.* Comment ne pas songer à Klimt, le fils d'orfèvre, entremêlant l'or paternel à ses nus, dans la chair de Vienne ? Lumière, reflets de l'or natal.

Les scènes. « Tout ce que j'ai fait jusqu'ici n'était que de la masturbation. »

Il y a plusieurs scènes, toujours : la scène apparente, vivante, déchaîne la rébellion d'Alberto contre Breton et la rupture définitive avec toute affiliation. Et puis l'autre, ô combien vécue, la scène cachée décide le tournant.

Janus, le dieu romain, démon du passage ou dieu des commencements, reste seul le gardien des portes : il ouvre et ferme cette année 1934, dont le mois de décembre sera capital.

Accompagné de Max Ernst, Alberto est revenu l'été à Maloja choisir avec lui des moraines du glacier voisin, pour les sculpter. « Les pierres sont remplies d'entrailles », disait Arp. Qui le sait mieux qu'Alberto ? Blocs de granit, monolithes, depuis le monolithe de bienveillance du passé à la pierre tombale du père enfin gravée.

À l'automne 1934, son *Objet invisible* est parti pour New York. Il accompagne dix autres de ses sculptures ; parmi elles, sa *Tête qui contemple*, de 1927. Julien Lévy, un marchand américain spécialiste du surréalisme, en a décidé : l'exposition ouvre en décembre. Rien ne se vend.

Alberto a commencé à travailler sur des têtes détachées, grandeur nature, et veut faire émerger son obsession de sa gangue. Il s'acharne, malgré ses amis surréalistes consternés. Tanguy pense qu'il est devenu fou. Breton ne voit dans son besoin que redondance du passé, et sera l'auteur d'une célèbre fadaise : « Tout le monde sait ce que c'est qu'une tête. » Justement Alberto ne le sait pas. Il cherche.

Renouer avec le travail du père devant le modèle, tel est l'enjeu. Il n'a désormais plus d'autre objectif que d'essayer de mettre en place une tête humaine.

Les surréalistes, eux, raffolent de son *Objet invisible*, sa reine Karomama aux yeux morts et aux mains vides. Alberto reste sur son malaise : « Cette statue que Breton préférait a tout bouleversé à nouveau dans ma vie. J'étais satisfait des mains et de la tête de cette sculpture parce qu'elles correspondaient exactement à mon idée. Mais les jambes, le torse et les seins, je n'en étais pas content du tout. Ils me paraissaient trop académiques, conventionnels. Et cela m'a donné envie de travailler à nouveau d'après nature. »

Coupé en deux : d'un côté les mains et la tête, de l'autre… Peut-il être plus explicite ? L'énigme est devant lui, une fois de plus il ne peut la différer.

Il s'ennuie à faire des œuvres surréalistes, se sent sur la mauvaise pente et ne cache pas sa peur de se « faire embarquer ». Breton voit rouge. Fils de fonctionnaire de police, il se complaît à dispenser l'ordre chez ses séides et les commentaires d'Alberto lui déplaisent souverainement. Dans l'affaire Aragon, lui aussi fils – illégitime – de préfet, quand il est exclu du groupe surréaliste en 1932, Alberto a pris fait et cause pour son ami, et lui remet sous le pseudonyme de Ferrache des dessins féroces contre le grand capital, caricaturant prélats et financiers à gueules de requins. Au moment où Breton s'intéresse de si près à l'*Objet invisible*, et veut y voir le cristal de ses exorcismes poétiques, Alberto écrit : « Je ne me considère plus comme membre de cette association.

L'A.E.A.R. n'évoque plus pour moi qu'un escalier pourri sortant d'une mare. »

L'A.E.A.R. représente l'Association des écrivains et des artistes révolutionnaires, et ne trouve pas plus grâce à ses yeux que les listes de mots surréalistes prêchées par Breton. « Liste. Liste de quoi ? Liste de merde, l'époque surréaliste est bien lointaine et les sculptures de cette époque de fil de fer, de tête en bois et Breton tontaine au petit pied, petit pied de velours tout doux », écrira Alberto.

Sa décision de se consacrer à une tête fait le tour du Landerneau littéraire. C'en est trop. L'impasse surréaliste qu'invoque Alberto apparaît blasphématoire à Breton. Un dîner est fomenté par le jeune et zélé Benjamin Péret, qui invite Alberto avec le maître. Le ton monte. En toute innocence, Alberto en sortant du restaurant les suit prendre un verre chez Georges Hugnet. Le comparse a réuni le groupe au grand complet : il guette. Alberto, d'emblée, comprend qu'il s'est fait piéger. Breton, entouré de ses plus obséquieux croupiers, se lance, fustige l'activité « pour riches » d'Alberto, en travaillant pour Jean-Michel Frank et ses mondains. Indigné par la mesquinerie de l'attaque, Alberto ne va pas se le faire dire deux fois. Sans Frank, ni lui ni Diego n'auraient pu subsister, démarrer, survivre.

Breton, ce n'est un secret pour personne, vend bien souvent des œuvres données par ses amis artistes pour améliorer son ordinaire bourgeois. Kiki de Montparnasse s'exaspère dans ses *Mémoires retrouvées* de ces messieurs soi-disant révolutionnaires servis à table et à heure fixe par une bonne en tablier... Pauvre Kiki, son estomac criant famine, qu'un bol de soupe chez Rosalie, rue Campagne-Première, transporte ou un café-crème au café du Petit Vavin saoule.

La purée et la dèche n'ont pas de secrets pour la petite, si pauvre qu'elle ramasse des échantillons jetés dans les poubelles pour avoir l'air, en les glissant sous sa veste, de porter chemise. L'ex-petite-fille bourguignonne d'un cantonnier qui cassait les cailloux sur les routes, boniche à l'occasion, puis visseuse, ne s'en laisse pas conter par les faux jetons. Celle qui deviendra l'inoubliable modèle de Man Ray a décelé l'hypocrisie des surréalistes.

« Voilà des gens qui insultaient les bourgeois, les curés, qui jugeaient les gens d'après la richesse de leurs costumes et qui se conduisaient chez eux exactement comme ceux qu'ils avaient fait brûler ! Une bonne pour les servir, les repas à heures fixes, eux qui ne croyaient à rien passaient le plus clair de leur temps à visiter des voyantes, à évoquer les esprits en faisant tourner des tables... »

Alberto a déjà pris son congé intérieur. Le travail « mercantile » invoqué par Breton, devant le groupe au grand complet, tombe au plus mal. Breton, en d'autres termes, proclame l'avilissement de son talent dans une esthétique non seulement anti-surréaliste mais contre-révolutionnaire.

Comment ose-t-il ? Toucher à sa collaboration avec Jean-Michel Frank, qui a joué un tel rôle dans la découverte, à Paris, des deux frères Giacometti, si isolés à leurs débuts misérables ? L'indignation d'Alberto est à son comble.

Dans un des questionnaires surréalistes, Breton lui avait demandé : « Qu'est-ce que ton atelier ? – Deux petits pieds qui marchent», avait répondu Alberto. Cette fois il va tourner les talons, à jamais. Mais il rugit auparavant. Breton croit le dégrader, c'est lui qui va l'être. Et le perdre.

La statue qui se dresse, aussi puissante et éternelle que celle du Commandeur, c'est celle du père. Le noble Giovanni est autrement bouleversant pour son fils que ces faiseurs. «Trop loin dans le sang», faisait dire Shakespeare à Richard III pour exprimer sa fatalité.

Michel Leiris parle de «résidu suprême», et Freud de la toute-puissance des pères morts, donc «revenants». Breton n'a pas mesuré l'impact de celui auquel il s'oppose : les fils de sa pelote surréaliste sont impuissants à lier le fils de Giovanni. Père bien-aimé… Toute la nostalgie du père fait échec en Alberto au despotisme de pacotille et aux contorsions de Breton. Avoir fait souffrir en silence son père à cause de cet homme l'achève à ses yeux.

L'œil du faucon Horus, gage d'intégralité, veille en Alberto, amputé du regard de son père… Il ne lui a pas fermé les yeux, il ne connaîtra pas son regard qui s'éteint. «Le monde est parti, il faut que je te porte», écrivait Celan.

Les éloges de Breton sur son travail grincent à ses oreilles. Alberto rugit encore : «Tout ce que j'ai fait jusqu'à maintenant n'était que de la masturbation.»

Maître mot, s'il en est : il sidère Breton. La masturbation, c'est le crime de l'enfance, son *au-delà de cette limite, votre ticket n'est plus valable*, et le grabat adulte des verges molles. L'ascendant des œuvres d'Alberto, à ce moment de son existence, peut-il relever de cet ersatz ? Toujours impérieux, mais interloqué, Breton riposte à cette déclaration mémorable :

« Il faut tirer cela au clair une fois pour toutes.

– Ne vous donnez pas cette peine, répartit Alberto. Je m'en vais. »

Et il s'en alla.

Sa sortie n'est pas feinte. Son mouvement intime, profond, a commencé bien avant la mort du père, qui le sensibilise douloureusement à tout ce qu'il a cru, voulu franchir, dans un cénacle étranger aux commandements de son enfance.

Ce départ prodigieux quand on pense à ses vis-à-vis est un passage à l'acte. Dans la même heure, Alberto devint un paria. L'excommunication allait porter ses fruits, même amers : « J'ai perdu tous mes amis, ainsi que l'attention des marchands. Eh bien, malgré cela, ce jour où je me suis retrouvé sur le trottoir, décidé à reproduire aussi fidèlement que possible des têtes humaines, comme un débutant de la Grande Chaumière, je me suis senti heureux, libre. »

Le point de crise, en physique, est un point de non-retour : les solides se muent irréversiblement en liquides, puis les liquides en vapeurs... On ne transgresse pas impunément. L'alchimie entre le vrai et le faux va hanter Alberto. Trouver sa vision, la seule qui importe à ses yeux : le mystère est là, où elle veut éclore. La dictature de la vision d'Alberto est en marche, sa longue marche épuisante qui lui fera frôler tous les abîmes. La révélation viendra de son seul regard. Il ne la trouvera pas de sitôt.

Le retour à la nature, tant prêché, enseigné par son père, il le décrète, le décide. Il tourne le dos aux surréalistes et s'engage dans un duel avec la ressemblance. Il risquera de lui laisser sa peau. Seul, avec ses propres forces. Et Diego.

La traversée du désert
1935-1945

La scène de la filiation

Alberto se détourne de son œuvre passée, la laissant comme bois de cerf sur la neige, meurtris par le combat mené pour leur fécondation. Ainsi, bois emmêlés, les cerfs se déchirent, entre le sexe et la mort, à l'automne.

Après s'être identifié à son père, Alberto l'a enterré… Au moment même où il érige son grand *Cube,* il prépare une exposition d'hommage à l'œuvre figurative de son père, soucieux de ne pas encombrer l'espace paternel avec son œuvre propre. Déjà il a franchi la ligne de séparation en s'adonnant principalement à la sculpture et ne reviendra aux pinceaux du père qu'un peu plus tard. Il réalise avec son frère Bruno la rétrospective posthume de leur père à la Kunsthalle de Berne l'été 1934, et expose lui-même à l'automne au Kunsthaus de Zurich. Pas question de porter de l'ombre à ce père vénéré. Il écrit dans ses *Carnets* : «Impossible, non, il n'aurait pas pu accepter, l'autre n'était même pas possible – arrivisme –, ce n'était pas possible pour moi. J'aurais dit : "Tu dois m'exposer si tous exposent" et il le faisait et certainement cela aurait eu le succès mérité. Mais papa savait combien j'aimais ses tableaux, ce n'était pas possible pour moi de faire cela. Tout est allé comme cela devait aller. Papa était heureux de mon succès et il savait que j'aimais ses tableaux et il savait toute l'admiration que j'avais pour lui. » La maladresse quasi enfantine de ces commentaires d'Alberto, orateur né, éclaire encore plus ses scrupules.

Il eût été impensable pour le jeune sculpteur, dans sa notoriété naissante, de présenter ses propres œuvres auprès de celles de son père. L'espace de Giovanni est sacré.

Autoportrait

Dans la genèse du « qui suis-je ? » il y a des migrations, des vagues, des retours. On respire, on expire. Seule la mort laisse sans date. Chacun atteint sa propre majorité à des âges différents, Maurice Sachs l'a merveilleusement défini dans *Le Sabbat*.

Le Cube franchi, et la stèle funéraire du père élevée avec Diego au cimetière de Borgonovo, le retour au modèle chez Alberto va marquer toute cette période de 1935 à 1940 et remuer les mêmes difficultés souveraines : le nuage, le détail, l'impuissance.

Alberto a balayé des œuvres considérables, d'une claque, en les qualifiant de « masturbation ». Tous s'interrogent sur ce mystérieux retour à la figuration. Aragon, dont il illustrera *Les Beaux Quartiers*, rapporte d'Alberto : « Il déclare aujourd'hui que toute son œuvre ancienne était une fuite de la réalité... parle avec dédain d'un mysticisme qui s'était glissé dans son œuvre. » Alberto se terre dans son face-à-face avec le regard.

Quel regard ? Son père mort, Alberto revient à ce qu'il lui a enseigné pendant toute sa vie. L'effondrement de son monde enfantin, quand il fut blâmé par le père de dessiner des poires minuscules, ces poires de l'angoisse, le jetait dans le vertige de la taille. L'énigme désormais ne le quitte plus. Il veut signifier l'être, celui qu'il voit, ressent. L'impossible mimésis le confronte à l'ordre ancien, inéluctable. D'ailleurs, il l'a toujours su.

« Je savais que, quoi que je fasse, quoi que je veuille, je serais obligé, un jour, de m'asseoir devant le modèle, sur un tabouret, et d'essayer de copier ce que je vois. »

Arracher au vide la ressemblance le confronte au regard du père. Peindre, c'était la vieille histoire de la famille. Giovanni père et Cuno Amiet, le parrain d'Alberto, ne parlaient entre eux que de représentation, dans leur Stampa appelé par le cousin Augusto, peintre également, « le paradis ». Le joug de l'hérédité ne lâchera jamais les deux frères Giacometti, Diego le silencieux et Alberto le météore.

Impérieux inconscient. Le retour au regard du père auquel Alberto n'a pas fermé les yeux s'impose. La nouvelle genèse n'a rien d'une trouvaille surréaliste. Un sentiment poignant pousse Alberto à cette obéissance rétrospective si puissante.

Le regard sépare le vivant du mort. « Un jour, alors que je voulais dessiner une jeune fille, quelque chose m'a frappé, c'est-à-dire que, tout d'un coup, j'ai vu que la seule chose qui restait vivante, c'était le regard. Le reste, la tête qui se transformait en crâne, devenait à peu près l'équivalent du crâne du mort. » Ce crâne qu'on lui avait prêté l'obsède depuis sa jeunesse, où il s'était muré, seul, séchant les cours de Bourdelle, éclipsé par ce totem humain.

Le regard, la vie, donc la tête devient l'essentiel. La prédilection du père pour Ferdinand Hodler et Cézanne, l'*Autoportrait* peint par Hodler en 1900, sont encore prégnants chez Alberto, habitent ses yeux, ses oreilles, avec la voix de son père quand il réalise son *Autoportrait* en 1935.

La tête inconnue

« Rien n'était tel que j'imaginais. Une tête (je laissais de côté très vite les figures, c'en était trop) devenait pour moi un objet totalement inconnu et sans dimensions. »

Cette fois, Alberto s'engage dans le gouffre du modèle. Renouer avec le travail d'autrefois, le travail du père devant le modèle, l'occupe tout entier. « En 1935, je pris un modèle... » Diego, l'éternel second, pose chaque matin, deux ou trois heures tous les jours, avant de vaquer à ses travaux pour Jean-Michel Frank, et gagner leur vie. Rita, l'après-midi, petite jeune femme au nez pointu. « Après huit jours, je ne m'en sortais pas du tout ! La figure était beaucoup trop compliquée. Je dis : "Bon, je vais commencer par faire une tête." Alors je commence un buste et... Au lieu de voir de plus en plus clair, je voyais de moins en moins clair, et j'ai continué... »

Tête prémonitoire... Qui contemple qui ? Le père Alberto, Alberto son père ? Réalité et présence se déploient comme les seuls impératifs. Mais le chemin de croix recommence.

« Oubliant qu'en 1925, j'avais abandonné l'idée de travailler d'après nature – parce que je la trouvais impossible –, j'ai repris un modèle, voulant très vite faire une étude pour faire ensuivre des sculptures. C'était en 1935. Quinze jours plus tard, j'ai retrouvé l'impossibilité de 1925… Et j'ai gardé le même modèle de 1935 à 1940. Tous les jours, en recommençant tous les jours, la TÊTE. »

L'ami d'Alberto, Raymond Mason porte témoignage : « Il m'avait une fois confié comment son engagement total pour la tête humaine avait débuté. Il avait été content de sa construction de 1932, *Le Palais à quatre heures du matin,* exécutée rapidement en plâtre et avait le désir de faire quelque chose de semblable. Mais là où le *Palais* contenait une effigie de sa mère en forme de quille, cette fois-ci il prévoyait d'inclure son frère Diego, sa tête sur un petit socle comme une pièce dans un jeu d'échec. Alberto n'arrivait pas à réussir cet élément aussi facilement qu'il le pensait. Alors, se demanda-t-il, pourquoi se donner tant de mal quand Diego se trouvait dans l'atelier en face ; il n'avait qu'à venir et prendre la pose. Une fois Diego assis sur la chaise, Alberto fut saisi par une sombre révélation. Voici, se souvenait-il, exactement le problème qu'il n'avait jamais réussi à cerner plus jeune et qu'il avait esquivé en se glissant dans l'art moderne. Depuis lors, il cherchait chaque jour à le résoudre. »

L'obsession le consume. Efforts vains, dérisoires, destructions vont de pair, dans la continuité même des

Têtes du père, auxquelles il s'était mesuré si tardivement, rappelons-nous, pour la première fois. « Qui a bu l'eau du Nil revient toujours à la source. » Dette de miel, ou dette de fiel ? Alberto n'arrive pas à se libérer, à trouver sa vision. Ce qu'on voit à l'œil nu est bien plus inouï que les produits du rêve, Alberto ne cesse de le répéter.

Cinq années d'échecs devant le modèle le confrontent à l'inconnu devant le visage familier de Diego. Diego le matin, Rita l'après-midi accusent cette distance du sujet et le refus de cette tête. Alberto devient le prisonnier de sa pulsion. La pulsion implique une inépuisable répétition et Alberto s'acharne contre le pseudo savoir. La bourde de Breton « On sait ce que c'est qu'une tête » grince encore à ses oreilles. Justement pas. On l'ignore.

Enragé d'exigence, Alberto redevient un écolier. En vain. « Je sculptais exactement comme si j'étais à l'école. » Le retour de l'enfant prodigue ne le sauve pas. « Telle une inondation de corbeaux noirs dans les fibres de son arbre interne », écrivait Artaud de Vincent Van Gogh. Pas plus que Théo ne sauva son frère Vincent, Diego le longanime ne peut ravir son frère à l'angoisse de néant qui le mine. Leur tête-à-tête les plonge dans la contemplation interminable : Diego, tel qu'en lui-même, un autre lui-même pour Alberto, le seul modèle disponible en permanence, ne peut avoir raison de l'énigme.

Alberto ne cesse de marteler, la voix rogue : « Faire une tête comme je la vois, non ? » Il n'y arrive pas.

« Plus je regardais le modèle, plus l'écran entre moi et la réalité s'épaississait. On commence par voir la personne qui pose, mais peu à peu toutes les sculptures possibles s'interposent. Plus sa vision réelle disparaît, plus la tête devient inconnue. On n'est plus sûr ni de son apparence, ni de sa dimension, ni de rien. Il y avait trop de sculptures entre mon modèle et moi. Et quand il n'y avait plus de sculptures il y avait un inconnu tel que je ne savais plus qui je voyais ni ce que je voyais. »

Alberto détruit ses ébauches. « Je voulais faire des têtes ordinaires, et cela ne marchait jamais. Mais puisque j'échouais, je voulais toujours faire un nouvel essai. » Il réassure à sa mère, quotidiennement au téléphone, dans leur dialecte italien, qu'il progresse, et se prépare impitoyablement au lendemain.

L'aventure de la ressemblance dans laquelle il s'est engagé le ramène toujours à un point d'effondrement : tout juste le « résidu » d'une vision. Dans son galetas, d'hécatombe en hécatombe, il poursuit sa traversée du désert. « La lucidité est la blessure la plus rapprochée du soleil », écrit le poète René Char, et la transparence des larmes donne encore plus soif.

L'atelier se jonche de débris. Diego hoche la tête. Il ne peut abonder dans le sens de la destruction illimitée qui surgit, et l'inquiète. « Biscornu »... Ce mot revient souvent dans le vocabulaire d'Alberto. « C'est plutôt anormal de passer son temps, au lieu de vivre, à essayer de copier une tête, d'immobiliser la même personne pendant cinq ans sur une chaise tous les soirs, d'essayer de la copier sans réussir. Ce n'est pas une activité que l'on peut dire exactement normale, n'est-ce pas ? »

L'art d'Alberto est vivant, non figé, et il s'acharne. « À demain », dit-il au visage de son frère Diego qu'il regarde si intensément, « à demain » dit-il au visage de Rita. Mais en vain. Ni le matin, ni l'après-midi n'ont raison de son inconnu : la première fois, la dernière fois se refusent.

Son face-à-face avec le modèle, celui du père, le laisse seul et désemparé. Un Alberto de trente-cinq ans lutte avec le désir. Il veut signifier l'être qu'il voit, qu'il ressent, et l'impossible métamorphose lui donne le vertige. Le vertige d'autrefois, dans la montagne. Diego reste perplexe devant ces immolations. La détestation de soi et la mort vont de pair.

Il n'a encore rien vu. Tout est genèse, chez son aîné. Le G de Giacometti se prononce «j'ai.» Fureur et mystère s'étreignent, lui laissent tout juste «le résidu d'une vision». Sa pulsion érotique et scopique dévore le monde intérieur : le visage recule dès qu'il tente de le saisir. «Deux fois par an je commençais deux têtes, toujours les mêmes, sans jamais aboutir, et je mettais mes études de côté». Pris au gouffre, il va entrer dans une crise abominable de la dimension.

On songe au Douanier Rousseau, auquel on reprochait son portrait de Guillaume Apollinaire, non ressemblant. «Pourtant, j'avais pris mes mesures», se défendait-il, notées sur son calepin, comme celles d'un habit... Marie Laurencin, la compagne d'Apollinaire, ne se reconnaît pas dans la personne grassouillette. «Guillaume est un grand poète, il a besoin d'une grosse muse», lui réplique le Douanier. Il a fixé l'éternel et fait surgir le bouquet d'œillets de la poésie.

Picasso, lui, n'avait pas ces scrupules. Devant son portrait saisissant, Gertrude Stein ne se retrouvait pas. «Elle finira par lui ressembler», assurait-t-il.

Inhibition, symptômes, angoisse

La lucidité d'Alberto le rend intraitable à lui-même, et nul n'a décrit mieux que lui son besoin maniaque du placement. Tous ces symptômes sont exacerbés par la mort de son père. L'inconscient travaille toujours sur fond de mystère, et on n'insistera jamais assez sur la coïncidence vécue par Alberto entre sa publication surréaliste, déchirant le rideau de l'enfance sur ses fantasmes de viol et de meurtre, le choc éprouvé à cette lecture par Giovanni et son attaque mortelle. Dans l'inconscient d'Alberto, l'accusation brûle. Freud a mis en lumière le retour des pères morts.

Obsessionnel, Alberto déploie ses rituels, ses évitements, ses retours au labeur. « Mais il n'y avait jamais de fin, j'étais dépassé, écrasé par cette tâche et je l'abandonnais toujours avec insatisfaction pour passer outre, mais ça recommençait souvent un moment après avec les chaussures, les chaussettes, les portes que je fermais ou trop faiblement ou trop fort, ou avec n'importe quels objets, sur une table, qui se touchaient : un bout de papier, une ficelle, un encrier. Vite j'arrangeais juste ce qui me tombait sous les yeux, n'osant pas regarder plus loin (sinon je me sentais perdu), j'éloignais les objets l'un de l'autre mais à quelle distance fallait-il les mettre ? Ils étaient toujours ou légèrement trop près ou légèrement trop loin, alors je déplaçais imperceptiblement un petit bout de papier déchiré, ne songeant pas un instant à le jeter dans la corbeille à papier, je savais que là tout aurait recommencé. »

La démolition s'exerce à tous les niveaux de l'acte créateur. Le psychanalyste André Green parle de cette force indomptable quand elle se met en route : le but de la force est de vous dévorer et elle vous dévore.

Les difficultés psychiques insurmontables, ses immolations, ne le séparent pas de sa certitude : le chemin éternel l'attend. Mais seule la vérité de sa création lui importe. Alberto est impitoyable avec lui-même, dans la découverte de son style. Il ne peut signer que sa vérité. « Plus une œuvre est vraie et plus elle a de style. Pour moi la plus grande invention rejoint la plus grande ressemblance. »

Les autres

Son ghetto intime ne le séparera jamais de ses contacts. Lui et Diego ont l'amitié chevillée au corps. Ils sont aimés, Diego pour sa nature bénéfique, Alberto pour ses dons qu'il prodigue à qui veut l'entendre. Il se récriera contre ceux qui le travestissent en artiste de la solitude, et bouillonne de colère. Le châtrer du contact, alors qu'il n'a de cesse de communiquer ! La vie, c'est les autres, leur rencontre, leur mystère, à la racine même de l'être. La source impalpable des émotions l'appelle. « Une sculpture n'est pas un objet, elle est une interrogation, une question, une réponse... »

Il se lie à l'humain, à ce qu'il veut montrer, envers et contre tous les faux-semblants. Lui et Diego vénèrent leur souche montagnarde, et leur goût farouche pour leur sol les enracine encore plus l'un à l'autre. Ils se ruent sur les nouvelles, les journaux et leurs cafés, conservent des mœurs d'étudiants fraternels, amoureux de vérités.

L'intimité d'Alberto avec René Crevel, au visage d'ange, dont il illustre les écrits, ne faiblira pas avec son expulsion du groupe surréaliste. Les harangues et les rages d'André Breton restent lettre morte pour le sensible poète. Jamais il n'aurait tourné le dos à Alberto. Mais un incident le bouleverse, quand Ilya Ehrenbourg, l'écrivain à la solde des Soviets, taxe les surréalistes de fétichistes, exhibitionnistes et homosexuels. Furibard, Breton croisant Ehrenbourg dans la rue lui porte son poing à la figure. Bouleversé par l'accusation d'homosexualité qu'il croit seul porter pour le groupe, Crevel, déjà très malade et tuberculeux, se suicide au gaz. Les deux frères Giacometti le pleurent.

Balthus devient leur intime, si étranger pourtant à leur dénuement. Alberto et Diego n'ont aucun souci de la foire aux vanités, et vivent au sens propre la parole de Rilke : «Pour le créateur, il n'est pas de pauvreté ni de lieu pauvre et indifférent.» L'atelier de misère d'Alberto auquel il se cramponnera toute sa vie, comme à une paroi de montagne, lui tient lieu de palais.

Balthus signe son œuvre de son surnom d'enfant, donné par ses proches. Né Michel Balthasar Klossowski, il se proclama un matin le comte Balthasar Klossowski de Rola. Le faste le fascine. «Un château m'est plus nécessaire qu'un morceau de pain n'est nécessaire à un ouvrier.» Alberto se fait âpre, et lui reproche son «complexe de Vélasquez», mais les pères spirituels entre eux, plus puissants que tous les accoutrements, les unissent : Piero della Francesca, Seurat, Vélasquez et Courbet. Fanatique avec sa vision, Alberto en remonte à Balthus : «Alberto pouvait regarder une tasse de thé et

éternellement la voir comme si c'était la première fois. »
Contradictoires, pervers, ils ruent dans les brancards de
l'un et les brocarts de l'autre, sans jamais brouiller leur
fil d'Ariane. Balthus parlera en ces termes à Raymond
Mason de leur amitié : Alberto « n'était pas tragique, il
était tonique… » Et Mason de poursuivre : « Il n'était pas
le solitaire des pics vertigineux, il était un meneur ».

Samuel Beckett va surgir dans les pérégrinations
d'animal nocturne d'Alberto. Alberto et Samuel Beckett
se rencontreront pour la première fois au Flore et l'atelier submergé d'Alberto n'est peut-être pas étranger à
l'enlisement de Winnie dans *Oh, les beaux jours*, ensablée
jusqu'aux yeux dans son tas de sable au coin de la rue.
« Heure exquise, qui nous grise »…

L'Irlandais, après une bourse d'études de deux ans
à Paris, démissionne de son poste de professeur, tant il
doute du savoir qu'il enseigne. Son père meurt d'une
crise cardiaque, et cette mort l'accable. Il adorait son père
bon vivant, toujours en fuite de la maison et de sa mère
épuisante. À vingt-sept ans, il devient un exilé volontaire, à Londres puis à Paris, où il retourne à l'automne
1937. Un inconnu l'accoste, avenue d'Orléans, et le
marlou repoussé lui plonge un couteau dans la poitrine.
La plèvre du poumon gauche de Beckett est perforée.
Mandé d'assister au procès de son agresseur, il lui
demande le pourquoi de ce geste absurde : « Je n'en sais
rien, monsieur. » L'offense, la solitude l'imprègnent.

De temps à autre, il ne peut s'empêcher de retourner
en Irlande, et ressent de telles angoisses la nuit, peuplée
de cauchemars, que son frère, pour l'apaiser, doit venir
se coucher auprès de lui. Là encore, deux frères…

Les deux hommes se retrouvent par hasard dans les bars aux heures de fermeture et marchent, silencieux, obstinés, depuis le Falstaff rue du Montparnasse, ou le Rosebud, rue Delambre. Beckett, l'Irlandais sculpté par le vent de son île, les yeux bleu acier lavés par la mer, sa boisson brûlante Bushmill and Jameson avalée, et Alberto, qui ne peut jamais se coucher, guettent l'aube. Tous deux adorent les oiseaux. L'oiseau est la métaphore de l'exil. Beckett émiette des biscottes pour les piafs et Alberto reconnaît son merle dans sa petite impasse, tous les matins.

Chesterton écrivait : « Des hommes pourraient jeûner quarante jours pour la joie d'entendre un merle chanter. Des hommes pourraient traverser le feu pour trouver une primevère. »

Une tendresse les liera à vie. Seuls ensemble, du monde à ses restes, d'un personnage à son déchet. « Qu'est-ce qui se passe, qu'est-ce qui se passe ? interroge Beckett dans *Fin de partie*. – Quelque chose suit son cours. » La terreur de l'obscur n'aura pas raison d'eux. « Encore », écrit Beckett dans *Cap au pire*.

Le visage émacié, ardent, de Beckett, regard clair sous ses petites lunettes cerclées de noir, apparaît souvent dans leur XIVe, l'arrière de Montparnasse, à côté de la face superbe d'Alberto, traits torturés sous sa tignasse. Quand Beckett, en voie de devenir aveugle, se plaindra à Alberto devant les acacias et leurs feuillages aigus, en s'exclamant : « Je ne peux plus voir ces arbres ! » Alberto lui dira : « Mais, Sam, c'est que tu les aimes trop. » Les oiseaux nidifient même sur les galets… Alberto et Sam partagent leurs pierres et les moments tremblants de leur vie. Tous deux sont habités de la « crainte morbide des sphinx », hantés par l'impuissance et la stérilité.

« C'est vrai, écrit Rilke, l'expérience vécue par l'artiste est en effet si incroyablement proche de l'expérience sexuelle, de ses tourments et de son plaisir. » Depuis le jaillissement du torrent de sa montagne, pour Alberto, à l'île battue des vents de Sam, seule une maternité à venir par leur œuvre peut empêcher que leur désir ne devienne rage. Rilke le sait : « Dans une seule pensée créatrice revivent mille nuits d'amour oubliées. »

Man Ray, le surréaliste américain de Chicago, Brassaï le Hongrois, Élie Lotar, fils illégitime d'un fameux poète roumain, Cartier-Bresson, le bourgeois normand, saisissent sur leurs photographies les nuits de veille de ces marcheurs invétérés, à Montparnasse, leurs livrées de clochards et l'aura avide de leurs visages.

L'appartement de Beckett donne sur la prison de la Santé et il fixe les prisonniers se passant des messages le long du mur dans des boîtes de conserve attachées par une ficelle. Le ballet de détenus de Beckett s'élance...

Rien de tel dans l'atelier de Picasso, rue des Grands-Augustins, où le maître aime voir entrer Alberto, le harceleur de mots. Il sait pertinemment qu'il ne lui fera ni courbettes ni concessions. Tous deux artistes, fils d'artistes, savent de quoi ils parlent. L'ogre a toujours besoin de remplir sa mangeoire. Picasso, accablé par les clauses d'un divorce avec son épouse russe Olga – sa maîtresse Marie-Thérèse vient de donner naissance à Maya, leur fille illégitime –, ne peint plus depuis six mois. Ses cinquante-trois ans prennent feu pour la jeune et douée Henriette Markovitch, photographe de vingt-huit ans, fille d'un architecte croate. Plus connue sous le nom de Dora Maar, elle vient de se séparer de Georges Bataille. Une liaison houleuse va naître, et son fruit : le retour dévorant de Picasso à la peinture.

Aux Deux Magots en 1935 à l'automne, sa rencontre légendaire avec Dora Maar a lieu. Célèbre dans le milieu surréaliste, la mode et la publicité, Dora, proche de Brassaï, Man Ray, Cartier-Bresson et Jacques Prévert, les fascine par ses clichés. La cécité hante la rebelle et dans les rues de Barcelone, de Paris ou de Londres elle photographie les enfants pauvres, les boiteux, aveugles et indigents. Tout autant la beauté l'attire, Nusch, la femme d'Éluard, son corps svelte, son visage éthéré, fragile, menacé en surimpression de sa photographie par une toile d'araignée... « Les Années nous quittent. » Il fait si noir sans l'amour.

Son amie intime, la blonde Jacqueline Lamba, sa compagne d'école aux Arts Décoratifs, danseuse aquatique nue au Coliséum rue Rochechouart, a épousé Breton. Dora la fait apparaître dans l'embrasure d'une fenêtre, madone végétale au milieu des feuillages.

Paul Éluard présente Dora à Picasso. Elle porte ses gants noirs, brodés de petites fleurs roses, les enlève et prend un long couteau qu'elle plante dans la table, les doigts écartés de ses mains célèbres, manucurées jusqu'au fétiche, ongles pourpres... De temps en temps, un milli-mètre manque et le sang perle. Picasso, fasciné par son jeu, tout de rituel sacrificiel et de tension érotique, gardera ses gants dans une vitrine. Il écrit dans *Cahiers d'art* : « Jeune fille beau menuisier qui cloue les planches avec les épines des roses ne pleure pas une larme de voir saigner le bois. »

Son visage ovale, sa voix rauque, ses yeux clairs, vert bronze indéfinissable, entre les éclats de ciel et les reflets sombres, sa peau diaphane éblouissent le regard charbonneux de Pablo Picasso. Il prend feu, s'adresse à elle en français et Dora lui répond dans sa langue natale… L'amour orgueil de Dora, toujours prise entre ce qui est exhibé et ce qui est caché, naît.

Militante d'extrême gauche, l'audacieuse ranime l'engagement politique de Picasso et déclenche son retour à la photographie, abandonnée depuis les photogrammes. La hiératique Dora ne pose pas : Picasso la possède, il la connaît par cœur et leur liaison inspire une impressionnante série de portraits de femmes assises, de femmes au chapeau et aux ongles peints en vert. Chimères, sphinges et créatures mythologiques défilent. Extase et orage se déploient devant Alberto. Lui se débat seul.

Dora Maar a séduit le maître en jouant du couteau. Il l'entraîne dans le midi où les premiers congés payés s'émerveillent de ce couple superbe, sur la plage, promenant le lévrier afghan Kazbek et savourant du pastis.

Elle se laisse pousser les cheveux à la manière espagnole, comme il les aime, et il la peint en robe à pois, arborant une coiffure andalouse traditionnelle, en mantille et couronne de fleurs.

Picasso se vit en Minotaure et Dora va devenir sa Suppliante : il lui donne ses larmes. Malaga, sa ville natale, a été envahie. En avril 1937, avions allemands et italiens s'unissent aux forces fascistes du général Franco dans la destruction sauvage de la ville basque de Guernica, en plein marché. Picasso en fureur s'adonne à son immense peinture, commandée par le gouvernement républicain espagnol, termine en cinq semaines. Modèle, miroir, Dora Maar partage ses émois de la guerre d'Espagne.

Dora a découvert un superbe atelier, 7 rue des Grands-Augustins, qu'elle loue pour lui à leur retour du midi et elle photographie son héros. La barbarie politique transfigure son exorcisme et son désir sexuel. « Il faisait tellement noir à midi qu'on voyait les étoiles... » Picasso peint ses larmes d'ancien anarchiste de Barcelone, dans l'ivresse amoureuse de *La Femme qui pleure*. Dora domptée photographie chaque étape de sa création. Son Minotaure dévore le temps et ils se servent de médium l'un à l'autre.

Alberto se rend souvent dans le vaste atelier où les portraits de Dora, traits torturés, s'empilent. Il gravit l'escalier raide et sombre de la célèbre nouvelle de Balzac, le *Chef d'œuvre inconnu*, inspirée par ce lieu : le peintre Frenhofer, obsédé par le désir de représenter l'absolu sur sa toile, la détruit avant de se suicider... Dora, soumise, mais le regard impudent, la *mirada fuerte*, dit Picasso, ongles laqués, toujours, glisse. « Son corps qui respire à pleins dédains sa gloire » selon le poème dédié par Éluard ne peut éclipser la menace suspendue, « hache au bord de la blessure ».

Quand Alberto quitte le couple triomphant, va-t-il retrouver la tyrannie de l'échec ? Dans sa tanière, personne ne l'attend. Bientôt eux retourneront à l'hôtel Vaste Horizon à Mougins, avec Éluard, Nusch et les Breton, déjeuner à l'ombre des canisses et sous la treille.

Alberto n'a jamais connu ni ne connaîtra ces vacances. Il est du pays des cimes, Picasso du pays des figues et des guitares.

Sa cruauté à l'égard de ses femmes interroge Alberto. Après la russe Olga et la douce Marie-Thérèse, avant Françoise, sa benjamine de quarante ans et Jacqueline, le dernier amour, c'est Picasso qui jouera du couteau. Il écrit sa pièce de théâtre *Le désir attrapé par la queue* et destine à Dora un rôle, le personnage de l'Angoisse maigre. Il fera de sa brune compagne sa victime passionnée, consentante, avant que Dora Adora – ainsi l'appelait Éluard – ne devienne, pour toujours, la recluse. Chacun choisit ses bourreaux.

Mason dira drôlement un soir à Alberto, attablé aux Deux Magots : «Alberto, j'ai compris pourquoi vous faites toujours les éloges de Matisse, Braque et Derain. C'est que vous êtes jaloux de Picasso.»

L'animal nocturne

En Espagne, dit Picasso, il y a la messe le matin, la corrida l'après-midi et le bordel le soir. Point n'est besoin d'être un Minotaure pour le bordel, Alberto y va tous les soirs. Le Sphinx le ressuscite. «Ce qui me plaît dans les poules, c'est qu'elles ne servent à rien. Elles sont là, c'est tout.» Attendre, voir le corps des femmes. «Tu montes, chéri ?» Il retient son souffle.

Alberto ne peut se saturer du voir. Il parcourt infatigablement les rues de Paris, croise Brassaï, l'émigré hongrois devenu l'œil de Paris, son autre noctambule.

«Je ne cherchais qu'à exprimer la réalité, car rien n'est plus surréel», affirme le photographe. Les prostituées, plantées sur le trottoir, les colonnes Morris et les vespasiennes, la Môme Bijou au bar de La Lune, autant d'images s'engouffrent, sous les becs de gaz.

Mais surtout, une jeune femme au rire étonnant, d'une beauté animale et aristocratique, Isabel Nicholas, apparaît à la Coupole. Alberto la regarde boire, chatoyante sous les trente-deux piliers peints de cariatides de la célèbre brasserie. Féline, spectaculaire, sa liberté l'apparente à ces animaux exotiques que son père, l'officier de marine, si souvent absent, lui rapportait des pays lointains. Comment ne se serait-elle pas identifiée à eux, rares souvenirs d'un père qu'elle a perdu à douze ans?

Le deuil de son père coïncide avec la naissance d'un petit frère avec lequel la mère émigrera pour l'Australie. Isabel reste à Londres, où sa rare beauté fera d'elle le modèle préféré de grands artistes. Epstein, dont l'épouse le ravitaille en inspiratrices, lui fait un fils et n'a de cesse de l'envoyer à Paris, laissant l'enfant derrière. C'est une Isabel de dix-neuf ans qui arrive, et le soir même en dînant à la Coupole se fait reconnaître par Delmer, le correspondant de l'*Express* de Londres. Il identifie tout de suite la jeune beauté qui a inspiré la sculpture d'Epstein… Isabel, flattée, va nouer une idylle et devenir Isabel Delmer.

Douée pour le dessin, Isabel a obtenu une bourse pour la Royal Academy de Londres et n'a de cesse de suivre les cours de l'académie de la Grande Chaumière. Elle vit dans un luxueux appartement place Vendôme, s'installe un atelier dans la cour, et reçoit à tour de bras ses amis artistes, ce qui finira par exaspérer son jeune mari, souvent absent de Paris et trouvant la maison pleine à ses retours de voyage. Derain fait d'elle son modèle.

Troublé, tremblant devant la splendeur carnassière d'Isabel, Alberto mettra longtemps à lui parler. Il la croise fréquemment à la Coupole, fasciné par cette liberté qu'elle déploie. Il abhorre les femmes collantes. Le sculpteur à tête d'empereur romain, tignasse insolite, la fixe. Cette toute jeune femme éclate de vitalité et de rires. On songe immanquablement à la gaieté d'Annetta, l'enchantement de son enfance. Isabel boit sans réticence et l'éblouit. Elle a les couleurs de sa Blanche Neige, peau de neige, cheveux d'ébène, lèvres vermeilles. La formation d'un couple, dans le silence et l'hypnose amoureuse, se met à posséder l'inconscient d'Alberto…

Il va faire d'elle la sculpture inaltérable de *L'Égyptienne*. Comment ne pas revoir un joyau du Metropolitan Museum of Art de New York, un fragment de tête royale, peut-être celle de Néfertiti en jaspe jaune… Ces lèvres sensuelles et gonflées, la bouche aux commissures tombantes, vaguement asymétriques, laissent deviner le sourire et son énigme. Lisse, hiératique, cette Isabel de 1936 a été saisie par Alberto en fauve féminin, paré du mystère et de l'aura d'une concubine de pharaon. Elle aussi a cette face triangulaire, si frappante dans *L'Objet invisible* que Breton y avait vu darder une vipère…

La plénitude du bronze noir et lisse d'Isabel témoigne. La maîtrise totale d'Alberto signe l'architecture d'un visage, les nombreuses facettes sous-jacentes à son anatomie. Mais c'est l'âme qu'il poursuit, et son incarnation. Son buste lui échappe, dans sa perfection même.

Quand le rire de gorge d'Isabel ne retentit pas, la Coupole est désertée. Pourtant il y a les amis, Youki Fleur de Neige, accompagnée de Desnos, Kiki la Gazelle avec son cou qui n'en finit pas, et sa frange noire. Pascin, Derain et Kisling l'entraînent au Jockey, où Hilaire Hiles, l'air hébété sous ses grandes oreilles, tient le piano. Bien sûr, Alberto retrouvera tout à l'heure le parquet glissant le séparant des filles familières, dans le temple de ses nuits, le Sphinx. Des ombres.

Il sculptera bientôt une Isabel déchiquetée, meurtrie par son modelage, qui rejoint les têtes de Diego et de Rita. Leur intimité se tisse dans les conversations éperdues et les séances de pose. « L'acte sexuel est dans le temps ce que le tigre est dans l'espace », écrit Bataille dans *La Part maudite*. Alberto n'avoue pas son amour.

Le gouffre du minuscule

Parfaitement conscient de son échec à dévoiler ce qui le fascine, il va tenter de faire les têtes de mémoire, et voici qu'elles deviennent pointues. Impossible de ne pas se remémorer les écueils de son passé : les minuscules poires de jadis vont-elles le provoquer à nouveau, après qu'il eut tenté jusqu'au désespoir de retrouver le modèle du père ? Il s'engouffre dans une incompréhensible population de naines.

« Voulant faire de mémoire ce que j'avais vu, à ma terreur, les sculptures devenaient de plus en plus petites, elles n'étaient ressemblantes que petites, et pourtant ces dimensions me révoltaient ; et inlassablement, je recommençais, pour aboutir, après quelques mois, au même point.»

Ce résidu va le contraindre à la disparition : ses sculptures deviennent si menues qu'un coup de canif final peut les porter à l'extinction, les réduire en poussière. Diego, interloqué, voit naître les naines de son frère pour célébrer la ressemblance.

«Je n'y suis pour rien. C'était en 1937, poursuit Alberto. Comme c'était toujours impossible de réussir une tête, j'ai voulu faire des personnages entiers, je les commençais grands comme ça (Giacometti montre la longueur de son avant-bras), ils devenaient comme ça (la moitié du pouce)… C'était diabolique.»

La sirène de la filiation a retenti, et avec quelle véhémence ! Alberto, hanté par la grandeur nature du père, va nous faire assister, par ces nœuds et ces tresses de l'inconscient, au retour de ses poires du minuscule. Annonçaient-elles ce règne de l'infime, qu'il va pousser jusqu'à l'extrémité de lui-même ? Après l'ordre du père, le sien propre. Son minuscule se fait talisman, mais être et néant se touchent, s'acculent. N'empêche qu'il y passera cinq ans.

Pendant toute la guerre, il s'absorbera dans ces sculptures invendables. «Travaillant tous les jours, ne faisant rien d'autre», précise-t-il. Les vaches maigres le laissent sur sa faim. C'est la misère.

Nostos, ou le retour : l'été 1937

Alberto a été bouleversé par une toile de Derain, aperçue par hasard dans la vitrine d'une galerie : trois poires, sur un immense fond noir. Du hasard, il fera le grand rituel de sa vie.

Nostos, en grec, signifie retour, et algie, souffrance, le beau mot de nostalgie porte la souffrance et le dépérissement du pays natal. Alberto ne connaît qu'un voyage, son retour au nid, aux visages aimés de Stampa, d'atelier à atelier... Tout est là.

Annetta vaque aux tâches, omniprésente, aimante. Il veut l'émerveiller, la rassurer, en se rassurant lui-même.

Possédé par sa vision de la nature morte de Derain à fond noir, Alberto va reprendre les pinceaux paternels. Sa mère est seule désormais. La chambre à coucher parentale, abandonnée par Annetta, peu après la mort de son époux, est devenue celle d'Alberto. Il dort dans le grand lit au dossier sculpté, sous l'autoportrait de Giovanni : dans ce même lit, il a été conçu.

Des expositions à Paris et à Bâle célèbrent le trentième anniversaire de la mort de Cézanne. Alberto ne craint pas de se mesurer aux pommes de Cézanne, en cette brève saison sur le lac de Sils. Cézanne avait voulu étonner Paris avec une pomme, il y était parvenu.

Cézanne a compris le pouvoir des objets. « Ils se répondent insensiblement autour d'eux par d'intimes reflets, comme nous par nos regards et par nos paroles... C'est Chardin, le premier, qui a entrevu ça, a nuancé l'atmosphère des choses »... Qui, mieux qu'Alberto, peut saisir cette émanation, mieux que Diego, si sensible

117

et secret ? Entre eux, un mot circule, venu de la maison natale : « c'est joli ». Ce « joli » m'avait toujours étonnée dans la bouche de Diego. C'est une expression de Stampa, de cet émerveillement si cher à Alberto qui va déclencher en lui les chocs de sa création.

Cézanne a élu les pommes. Il voit leur « mélancolie », « dans les reflets qu'elles échangent : la même ombre tiède de renoncement, le même amour du soleil, le même souvenir de rosée, une fraîcheur. » Il ne les laisse pas seules, les entoure de cruches, de paniers posés sur une nappe. À sa première exposition chez Vollard, Huysmans les reconnaît ces « pommes brutales, frustes, maçonnées avec une truelle, rebroussée par des roulis de pouce ». Degas, enflammé par une petite huile représentant sept pommes, « le charme de cette nature de sauvage raffiné », acheta la toile.

Cézanne confessait regarder ces pommes avec une telle intensité qu'elles allaient, lui semblait-il, « saigner ».

Alberto, lui, élit la solitude de la pomme.

« Il y avait sur le buffet de ma mère de quoi faire une très jolie nature morte : une coupe, des assiettes, des fleurs et trois pommes. Mais il était aussi impossible de la peindre toute que de sculpter une tête d'après nature. Alors j'ai enlevé la coupe, les assiettes, les fleurs. Mais avez-vous essayé de voir trois pommes simultanément à trois mètres ? J'en ai donc ôté deux. Et la troisième, j'ai dû la réduire, car c'était encore trop à peindre. » Ici, plus de construction dans l'espace, cette unique pomme, minuscule, sur le plateau du buffet, contre la boiserie et le mur, devient souveraine, dans sa solitude et dans son être. Est-ce qu'Alberto touche à la vérité ?

Il achète tout le temps des pommes à une vieille cousine, spécialiste de primeurs, en se plaignant amèrement qu'elles soient trop chères. Un jour, quand il sera devenu célèbre, sa fournisseuse répliquera : « Écoute, je te les donne gratis, mais contre un dessin... »

Puis Alberto fait le portrait de sa mère. Le chef-d'œuvre. La puissante matrone éclipse *Madame Cézanne*. Ni surfaces ni volumes ne décomposent la présence, le face-à-face avec la *Mère de l'artiste,* son corsage noir, la masse de ses cheveux devenus blancs, comme la neige. Annetta Stampa porte le nom du village, avant le nom du père, et l'incarne. Loin, bien loin de la toile colorée de Giovanni, présentée à Zurich, où la ravissante jeune femme brune, enceinte de Diego, tient sur son flanc un Alberto furibard d'avoir été sevré du sein bien-aimé de sa mère et brandissant son biberon. Annetta rayonne de tous ses feux d'aujourd'hui : pas une ride, pas un commandement ne manquent. Son aura inépuisable, son fils la lui rend, fasciné par sa force. Le voilà seul à seule avec elle, son salut, sa sauvegarde. Mais aussi l'austère et imperturbable matrone couronnée des neiges et des certitudes ne peut amputer son intempérant Alberto de sa liberté, plus vitale encore. Irrépressible.

Celui qui deviendra le grand portraitiste du siècle dessine alors son *Autoportrait* : mêmes traits, même masse de cheveux. La ressemblance faramineuse entre ces deux êtres saute aux yeux. Mais le regard sépare les deux inséparables, la possession de la mère, la quête du fils s'affirment. Inexpugnables.

Stampa, Maloja : dans les maisons de famille, Alberto vient retrouver l'atelier natal. Son reposoir d'énergie créatrice le replonge aux sources, tel Rimbaud dans les *Déserts de l'amour* : «Ému jusqu'à la mort, par les murmures du lait du matin et de la nuit des siècles derniers.»

Le drame est proche. Ottilia, enceinte, a rejoint la maison de Maloja. Alberto, ravi, tambourine sur le ventre da sa sœur : «Je le sens, je l'entends!» Ottilia refuse la césarienne conseillée, pour le faire naître par la voie naturelle. Après quarante-huit heures de douleurs, elle accouche à Genève d'un garçon, Silvio, le jour même de l'anniversaire d'Alberto : trente-six ans, le 10 octobre 1937. Ottilia serre enfin son fils dans ses bras. Hélas, elle va mourir cinq heures plus tard.

Diego et Alberto adoreront leur neveu, le seul Giacometti héritier du nom puisque Bruno lui non plus n'aura pas d'enfant.

Alberto dessine sa sœur morte, sur son calepin d'écolier, la douleur au cœur, mais sans les soubresauts ni la paralysie subis avec la mort du père.

Alberto n'a jamais lâché le dessin. Au retour, il fait des croquis de femmes debout, nues, aux hanches de déesses de fertilité, mais les bras collés au corps. Il reste celui qu'elles ne prennent pas dans leurs bras.

«Je perds pied»

Une autre déesse l'emporte sur Annetta, sa mère-montagne : la fragilité. C'est elle qui mène Alberto aux limites de l'ineffable. Ce serait mal le connaître d'imaginer son déracinement du minuscule... Il le retrouve, son essence, son rendez-vous d'amour avec ses créatures talismaniques, aux prises avec l'angoisse, mais qu'il ne repousserait pour rien au monde.

En tâtonnant, il se vit encore en aveugle dans sa nuit. Rien ne transparaît. Têtes et figures deviennent de plus en plus petites. Il les range consciencieusement dans une boîte d'allumettes.

« Les sculptures n'étaient ressemblantes que petites, et pourtant ces dimensions me révoltaient... » Inlassablement, il recommence.

Les Delmer sont retournés à Londres, mais Isabel, exaspérée d'être séparée de ses amis artistes, revient poser pour Alberto. Ils croisent un soir Picasso, dînant avec Dora Maar chez Lipp. Le couple parle en espagnol, Dora boit ses paroles. Picasso s'attarde sur son premier mot, « piz, piz » pour demander un crayon à sa mère – crayon se dit *lapiz* en espagnol – et continue sur sa lancée : « À douze ans je savais dessiner comme Raphaël, mais j'ai eu besoin de toute une vie pour apprendre à peindre comme un enfant. » Puis il se met à fixer outrageusement Isabel en plongeant ses yeux dans les siens : « Moi, je sais comment la faire ! » Autant dire qu'il sait comment la faire jouir. Pablo Picasso, ce petit homme râblé au regard noir et aux mains courtes se veut amant autant que peintre. Les difficultés sexuelles d'Alberto sont parvenues à ses oreilles : son éjaculation difficile, voire impossible. Picasso finit, lui... Il n'en est pas à un sarcasme près. Foin du minuscule ! Dès qu'Alberto a le dos tourné, sa voix haute laisse tomber : « Alberto veut nous faire regretter les sculptures qu'il n'est pas capable de faire. »

Picasso brossera plusieurs portraits d'Isabel, de mémoire, la dénaturant, la déformant, entre ses insultes convulsives du visage humain, et la fait apparaître en prédatrice, ce qu'elle est peut-être : une dévoreuse. Les scrupules d'Alberto lui sont étrangers.

Chez Alberto, tout est symbolique. Les actes précèdent le sens, et il va vivre dans sa chair ce qu'il déportera vers le regard humain, pour toujours. Cet après-midi d'automne, Isabel pose dans son atelier et, devant son modèle immobile, Alberto tourne sur lui-même : « Regarde comme on marche bien avec ses deux jambes. Quelle merveille ! » Pouvoir pivoter d'un pied à l'autre va prendre un retentissement prométhéen. Son pied, ce soir même, il va risquer de le perdre.

Marchant depuis Saint-Germain-des-Prés où ils ont dîné et rencontré Balthus, pour ramener Isabel à son hôtel, rue Saint-Roch, il tente de lui exprimer que leur rapport sans issue, de voir en voir, le démoralise : « J'ai perdu pied. » Mot fatidique pour celui qui n'a jamais franchi le seuil de sa chambre, la nuit des mots d'amour. Il la laisse à nouveau, à la porte de l'hôtel, avant de s'éloigner, malheureux, dans le noir et seul. Alberto vient d'avoir, en cet octobre, trente-sept ans.

À peine arrivé sous les arcades rue de Rivoli, il monte sur le petit trottoir, place des Pyramides, où Jeanne d'Arc, mirobolante sous son armure, brandit sa bannière et chevauche son destrier aux sabots d'or. Une voiture fait une embardée à toute vitesse devant la vierge guerrière et dorée, et le renverse avant d'aller s'écraser contre une vitrine. Alberto tente de récupérer sa chaussure projetée au loin ; en essayant de la remettre, il échoue, son pied droit étant entièrement déboîté. La douleur le transperce. Quel démon s'est emparé de la merveille dont il vantait à Isabel les prodigieux pouvoirs ? Mouvoir, bouger, s'appuyer pour tourner et vivre.

Par quelle prémonition lui a-t-il annoncé : « Je perds pied » ? Comme si une perte incommensurable le guettait, pour le mutiler, le rendre infirme. Le castrer. Dans le fourgon de police arrivé sur les lieux, il est chargé avec la conductrice américaine et ivre, conduit à l'hôpital Bichat. Son pied bandé serré lui fait mal, mais il se sent délivré de sa hantise de rompre avec Isabel. La vie a pris l'initiative, décidé pour lui. Soudain, tout est simple.

Il arrive à joindre Diego, via Jean-Michel Frank, qu'une infirmière de bonne volonté accepte de prévenir, et Diego arrive aussitôt, flanqué d'Adolphe Chanaux, l'adjoint de Frank. Alberto est transporté à la clinique Rémy de Gourmont et confié au docteur Leibovici, éminent chirurgien.

Le diagnostic d'écrasement du métatarse droit avec double fracture ne nécessite qu'un plâtre. Les jeunes et jolies infirmières couvent Alberto et Isabel vole à son chevet. Elle viendra tous les jours lui rapporter en riant sa cueillette de Montparnasse, les provocations de dandy d'Aragon flanqué d'Elsa, son épée aux yeux bleus, ses yeux légendaires surnommés « les pupilles de la nation », les stupéfiantes apparitions d'Artaud, lèvres noircies par le laudanum, Savonarole à La Coupole, émacié, édenté et maudissant le genre humain, les dernières mines de

Tzara, le dandy des Carpathes, monocle à l'œil et œillet à la boutonnière. Tristan Tzara, «dont le rire est un grand paon» raillait Soupault, né Samuel Rosenstock en Roumanie – Tzara veut dire «terre» en roumain. Alberto rit, et dessine, dès qu'elle part, avec les crayons et le papier apportés par Diego. Le chariot des infirmières le fascine, ses deux grandes roues à l'arrière et les deux petites devant, pour transporter les médicaments d'une chambre à l'autre, tandis que les bouteilles tintent dans leurs casiers d'acier.

Une semaine plus tard, un plâtre plus lourd va lui permettre de ressouder ses os, et il est autorisé à rentrer chez lui, sur des béquilles. Il se sent pousser des ailes.

Ses retrouvailles avec le minuscule lui tardent... Au grand dam de Diego, Alberto se replonge dans ses figurines invendables, incompréhensibles et les voit encore diminuer... L'accident l'a libéré d'une décision imminente de rupture avec Isabel : il la croyait perdue, la réalité, leur réalité la lui rend.

Ce qui apparaîtrait à un autre comme une infirmité l'enchante. L'ablation de son plâtre ne sera suivie d'aucune rééducation ni des massages prescrits. Il s'empare de sa nouvelle canne avec délectation et boite. Il chérirait presque ce signe du destin. «Pieds, qu'ai-je besoin de vous si j'ai des ailes pour voler»? s'écriait Frida Kahlo, martyrisée par son corset de fer. Furieux quand Peggy Guggenheim, venue à l'atelier, lui refuse les petites «têtes grecques», dit-elle, qu'il lui sort de ses poches, et s'empare de sa dernière sculpture surréaliste, *Femme étranglée*, Alberto défie son exposition de 1938 et décline sa participation. Peggy et ses lunettes en étoile dessinées par Arp ne voit pas toujours clair... L'héritière des principales mines de cuivre de la planète, et son «éducation juive new-yorkaise à périr d'ennui», selon les termes de son propre petit-fils, ne peut acheter Alberto. «Je me suis mise au régime, dira-t-elle d'elle-même, je n'achetai qu'un tableau par jour.»

Ses appétits sexuels seront plus importants. «– Vous avez eu combien de maris, lui demandera un journaliste. – Ça dépend, les miens ou ceux des autres?» Elle se vantera d'avoir eu treize mille amants. Tanguy figure au palmarès, mais pas Samuel Beckett dont elle restera vainement amoureuse. Bientôt elle fera passer Max Ernst, menacé par les événements en Amérique. Il la délaissera, aussitôt arrivé.

Toute création est une guerre, mais le combat d'Alberto l'affronte au néant. Il fait les délices de Sartre, qu'il rencontre au Flore. Le philosophe a oublié son porte-monnaie et lui demande de régler sa consommation. Le verre payé, leur conversation nocturne ne s'arrêta pas de sitôt. «Je ne fais qu'en défaisant», explique-t-il à Sartre, fasciné par son acharnement aux frontières mêmes de l'être.

Le Prométhée de la fragilité

Les événements déferlent, la Tchécoslovaquie envahie par les nazis, l'Albanie attaquée par Mussolini, rendent la Suisse soucieuse de réaffirmer sa neutralité. Une exposition nationale doit avoir lieu l'été 1939 à Zurich, et Bruno Giacometti, entre les architectes désignés et appelés à choisir des œuvres d'art, fait appel à son frère pour exposer une sculpture dans la cour centrale du pavillon.

Quand Alberto arrive à Zurich, l'organisateur lui signale le camion prêt à partir pour aller chercher sa sculpture à la gare. «C'est inutile, lui réplique Alberto, je l'ai sur moi.» Il sort de sa poche, à la stupéfaction générale, une grosse boîte d'allumettes contenant une figurine de cinq centimètres de haut, à placer selon lui sur le grand piédestal, au centre de la vaste cour.

Devant la consternation de Bruno, Alberto sortit de ses gonds, hurlant que son frère l'offensait par son lamentable manque de foi dans son travail. Grâce à la médiation de Diego, une sculpture abstraite de 1934 dont il avait réalisé le moulage de bronze fut expédiée à Zurich.

La marche dans la diminution, dans la précarité, va se faire longue et n'est pas sans rappeler les déambulations des héros harassés de Beckett. Beckett aussi est un virtuose de la coïncidence. Mais il dit de lui-même : «Que voulez-vous, je ne peux pas naître… Ils sont tous pareils, ils se laissent tous sauver, ils se laissent tous naître.»

Les armées allemandes attaquaient la Pologne. Alberto et Diego quittèrent Maloja, pour se présenter devant l'autorité militaire à Coire. Diego fut affecté à un bataillon. Alberto réformé devant sa claudication, son pied droit enflé et déformé, retrouverait son frère seulement à sa permission de Noël. Isabel restait bloquée à Londres.

Les journées tragiques n'allaient plus tarder. Jean-Michel Frank pressa les deux frères de le rejoindre à

Bordeaux, d'où ils embarqueraient pour les États-Unis. Ils hésitaient encore, cependant Alberto aidé de Diego fit un trou dans l'atelier pour enterrer, enveloppées dans leurs légers suaires, ses petites têtes et ses figurines minuscules.

Isabel de passage à Paris, Alberto la supplia de ne pas partir, mais l'occupation de la capitale menaçait. Il vint, la veille de son départ, lui dire au revoir à son hôtel. À sa demande de poser pour lui, elle se coucha nue sur le lit. Alberto réalisa plusieurs dessins, puis ils s'unirent. Il ne lui avait rien fallu de moins qu'une guerre… Isabel prit son avion le lendemain.

Diego cette fois n'hésita plus : un tandem pour lui et Nelly, une bicyclette pour Alberto. « Qu'est-ce que je vais faire de ma canne » ? se désola Alberto. « Laisse-la », lui ordonna Diego. Et ils se mirent en route, dans l'espoir d'embarquer à Bordeaux, comme Frank le leur avait mis en tête.

Les avions vrombissaient, Étampes brûlait, des bras humains, des membres arrachés, des carcasses de chevaux et des cadavres hantaient le parcours des trois pédaleurs. L'exode les laissa parvenir à Moulins, dans la puanteur des corps en décomposition. Il fallait retourner à Paris, où ils arrivèrent le 22 juin, jour de l'armistice entre la France et l'Allemagne. L'atelier était intact.

Alberto retrouva sa canne bien-aimée, dont il pouvait parfaitement se passer, et se remit à détruire la nuit son travail du jour. Simone de Beauvoir éberluée écrit à son amant américain Algren pour lui décrire sa rencontre avec l'artiste et son étonnement. Cette virtuosité à rebours, fragile comme l'amour, fait observer au Castor :

«Il essayait de résorber la matière jusqu'aux extrêmes limites du possible.» Son souvenir prend place dans *La Force de l'âge* : «La première fois que je les vis, ses sculptures me déconcertèrent. Il était vrai que la plus volumineuse avait à peine la taille d'un petit pois.»

Ce ressassement obsessionnel de la matière jusqu'à ce qu'il arrache l'éclat d'une ressemblance conduit Alberto au vertige. Ne confiait-il pas d'ailleurs à Simone de Beauvoir que «pendant toute une époque, quand il marchait dans les rues, il lui fallait toucher de la main la solidité d'un mur pour résister au gouffre qui s'ouvrait à côté de lui.»

«Toutes mes statues finissaient par atteindre un centimètre. Un coup de pouce et hop, plus de statue.» De la diminution à la disparition, la matière s'absente pour plus de ressemblance, mais la fragilité ultime de la figurine la casse, la rend toujours plus vulnérable. Faut-il invoquer l'ombre immense et terrifiante des Jeunes Filles de Padoue, l'énigme de leur taille qui l'écrasait jeune homme ?

«Une grande figure était pour moi fausse et une toute petite tout de même intolérable et puis elles devenaient si minuscules que souvent avec un dernier coup de canif elles disparaissaient dans la poussière.»

Diego vaque aux tâches, dessine des bouteilles de parfum et des accessoires, et son adresse est telle qu'Alberto insiste pour son perfectionnement dans les moulages de plâtre. Son amour des animaux conduit Diego à de petites sculptures animalières sur lesquelles Alberto ne tarit pas d'éloges. Les premières sculptures autonomes de Diego voient le jour.

Leur séparation est proche. Le rationnement et le couvre-feu interdisent à Diego de laisser Nelly seule, et Alberto retrouvera la mère. Il a demandé un permis pour la rejoindre à Genève, où elle élève son petit-fils orphelin d'Ottilia, auprès de son gendre le docteur Berthoud.

Le dernier jour de validité du permis, le 31 décembre 1941, Alberto quitte à contrecœur Paris, sûr de lui revenir dans deux mois. Diego et l'ami Gruber le conduisent au train et sur le quai de la gare, il leur fait la promesse de revenir avec des sculptures d'une dimension « moins ridicule ».

La séparation

Diego a toujours fait le passeur entre la fatalité et la main-d'œuvre, pour Alberto. Et la séparation va peser de tout son poids, car Alberto ne réussit pas à obtenir son permis de retour. L'aura bénéfique de son frère ne rayonne plus sur lui.

Seul, dans la chambrette la plus misérable qu'il ait pu se trouver, au lugubre hôtel de Rive, aussi malfamé que sans confort, tout en haut de l'escalier où il va hisser sac de plâtre après sac de plâtre pour rejoindre son troisième étage – lit de fer, vieux poêle en porcelaine hors d'usage, table grossière et deux chaises. Les toilettes et un robinet d'eau froide sont dans le couloir et l'eau gèle dans les brocs. Trois ans et demi vont s'écouler dans ce décor.

Il eût été impensable pour Alberto de s'installer dans l'appartement bourgeois de son beau-frère, où il rend visite à sa mère toutes les fins d'après-midi.

Un nuage de plâtre imprègne ses vêtements, ses cheveux, envahit son sillage, où qu'il passe, d'empreintes fantomatiques. Annetta étale des journaux par terre et sur le fauteuil, avant son arrivée.

Tout continue. Bouts, miettes, poussières et paillettes de plâtre accompagnent ses détritus. On peut toujours repousser la vérité, elle revient. Le sculpteur a renoncé au modèle et travaille de mémoire à ses nus si minuscules qu'il recule de plus en plus devant les détails, jusqu'à disparition. À force de réductions successives, le corps s'élimine, la tête survit...

Le chœur antique des figurines placées sur l'évier de la chambre de l'hôtel de Rive à Genève épouvante la mère. Mais sans Diego, Alberto est livré à ses démons. «En 1940, à ma grande terreur, toutes mes statues inexorablement finissent par atteindre un centimètre»...

Il modèle un inconnu frémissant sous ses mains : un inconnu d'amour, entre tous sacré. De la fragilité il fera sa divinité et passera de la disparition à l'apparition. De l'infime à l'infini. Mais Alberto le démiurge ne le sait pas encore, plongé dans l'aire sans merci de sa lutte dans le labyrinthe du minuscule. Il le met sur socle, double socle, pour que sa figurine bien-aimée vive. Ici commence.

Annetta, la matrone imperturbable des certitudes, couronnée des éloges et des succès de son fils à Paris, se met à haïr les naines. «Ton père n'a jamais rien fait de semblable.» Elle revient à la charge en pure perte : «Tu ne sais pas à quel point elles me déplaisent et me perturbent.» Ces figures, toujours plus proches de l'anéantissement, la conspuent. Alberto n'en tient aucun compte. Un flagellant respire en lui. L'aigle despote, dira Char.

« Tu t'éloignes toujours plus vite des vivants. Bientôt ils vont te rayer de leurs listes.

– C'est le seul moyen de participer aux prérogatives de la mort.

– Quelles prérogatives ?

– Ne plus mourir. »

Kafka le sait, aussi.

Appuyé sur sa canne, dont Annetta a proféré qu'il n'a aucun besoin, Alberto quitte sa mère route du Chêne pour la ville, le Café du Commerce, et les bars de nuit. Plus de Montparnasse à Genève, mais ces dames circulent rue Neuve-du-Molard. Chez Pierrot, la Mère Casserole, le Perroquet où des douzaines de perroquets peints sur les murs noirs batifolent. Quand une rafle survient, le sculpteur ensemencé de blanc n'a rien à craindre de la police : « Pas celui-là. » Décidément, il n'inquiète que sa mère.

Annetta serre les cordons de la bourse et regimbe à sa demande de lui verser une somme correspondant à son héritage paternel. Chez les Giacometti, l'argent n'est jamais aux commandes, mais des disputes éclatent. Entre le couple aimant de la mère et du fils, se dressent de nouvelles Érinyes : les figurines. Avec une œuvre de la grandeur d'une allumette, Alberto veut produire l'émotion qu'inspire une divinité. « Tu ne vas pas m'apprendre ce qu'est l'art », s'indigne Annetta. Ces deux-là s'aiment. Ils s'agressent.

Comme les nuages de cendres dévalent les pentes du volcan, Alberto persiste et signe. Il cherche sa déesse, en tâtonnant. Comment pourrait-il deviner qu'il fera surgir, de ses petites créatures talismaniques, une population porteuse de taille normale, femmes devenues immenses, peuple de sentinelles gardien de la condition humaine ?

Etna de l'amour. Hautement inflammable, voire incommensurable. Alberto, son effervescence toxique en sont imprégnés. Dans cette crise abominable de la dimension, que répète-t-il ? Soudain il a l'intuition, la révélation : la vision d'Isabel, toute petite dans le lointain, surgissant boulevard Saint-Michel à minuit, devant les immeubles ramassés et noirs, cette nuit de 1937. C'est elle, sa figurine. Fallait-il qu'elle le hantât, en son exil ?

Toujours ce besoin de se référer à la réalité pour oser céder à sa vision. Sa vision d'Isabel, à distance, plongée dans les ténèbres, au cœur noir du ciel, exigeait l'éloignement, l'installation sur un piédestal et la nudité.

La présence de l'éphémère captive Alberto : c'est lui qu'il veut attraper, pour le faire durer, le reconnaître. « Nous sommes les invités de la vie », la grande formule d'Heidegger, Alberto la répète souvent. Le vu, chez lui, a pris la place du conçu. Robert Bresson, le cinéaste consacré à la mise en scène du désir, parlait du « pouvoir éjaculateur de l'œil ». Inaccessible amour... Entre le proche et le lointain, se joue toute la sexualité.

L'austérité de la souche Giacometti, la rigidité calviniste pèsent sur la volupté charnelle. Rilke écrivait à Émile Verhaeren : « Pourquoi nous a-t-on rendu notre sexe apatride au lieu d'y transférer la fête de nos pouvoirs intimes ? » Comment oublier que Rilke, lui aussi, fit halte en Engadine ?

Œdipe au pied blessé, le roman intime d'Alberto

L'instant de grâce dans l'amour, c'est Diego qui l'a, pas Alberto. Jouir lui est difficile, il ne peut pas « finir » et s'en plaint. Les putains le ravissent, car elles ne lui en demandent pas tant.

Toutes ses figurines sont conçues comme des nus. Ses sculptures restent minuscules, à l'exception d'une seule, dans l'atelier de son père, qu'il occupe l'été 1943 à Maloja : *Le Chariot.* La femme, nue, se tient les bras le long du corps, pieds joints, sur le piédestal massif. Il repose sur une plate-forme, avec une roue à chaque coin. Les roues brisées d'un jouet de Silvio, ce neveu qu'Alberto aime de plus en plus. La dernière étreinte d'Ottilia mourante à son nouveau-né l'habite encore. Il le modèlera aussi sur double socle. De sa première esquisse du *Chariot*, annonçant le mouvement sur roues de la femme, il va faire bientôt un chef-d'œuvre.

La vision, là encore, a eu lieu : le chariot à pharmacie des infirmières, qu'il a vu à la clinique. Il boite toujours et Annetta rue dans les brancards. En vain. Les quarante ans d'Alberto s'auréolent d'échecs. Dépenaillé, poussiéreux, ses figurines en poche, il déambule appuyé sur une canne. L'absence de Diego lui devient incommensurable. Son pied malade la rend encore plus cruelle.

Le pied, sacré, depuis les grottes préhistoriques aux trottoirs d'Hollywood où les gloires modernes de Sunset Boulevard laissent leurs empreintes. En Asie, sculptures monumentales et peintures des pieds du Bouddha s'ornent de svastikas et de fleurs de lotus. Les bouddhapada, traces de pas de l'Éveillé, protègent et, chez les musulmans, à La Mecque et dans les mosquées, l'empreinte des pas de Mahomet est vénérée. Les pieds stimulent la puissance de l'être, permettent de tenir debout et de se dresser vers le ciel. Dans la Bible, si l'homme perd pied, il perd l'énergie de ses racines célestes. Le serpent « l'atteindra au talon », annonce la Genèse, en sa faiblesse, son manque d'assise, son déracinement divin. Les pieds du Christ, racines pures, Marie Madeleine verse sur eux son parfum et ses larmes, et Alberto chérit *La Déploration du Christ* de Botticelli, depuis l'enfance.

Les pieds, racines malades de l'homme blessé, prendront un relief fantasmatique considérable dans l'œuvre d'Alberto : pieds-bots magiques et massifs, supports de ses hommes qui marchent. Une forêt de transpositions va pousser. Mais, sans Diego, Alberto est boiteux. Cet exil dure trop, devient toxique. Sa fièvre ne peut faire face. La racine, c'est la mort, quand elle est coupée. Diego était sa racine.

Jean-Michel Frank décédé, l'argent manque cruellement. Alberto ne peut même plus acheter de caramels à Silvio, ou payer ses cafés de la nuit... Il discourt toujours autant, rejoint l'éditeur Skira, son ami, dans ses bureaux ou au Café du Commerce, pour boire et discuter des heures, jusqu'à l'aube. Skira lui avance de l'argent, mais ne peut guère couvrir son train de vie misérable, aussi modeste soit-il.

Annette

À l'automne 1943, un soir d'octobre, à la Brasserie Centrale, un ami amena à dîner une jeune fille. Vingt ans, le col de fourrure de son manteau relevé jusqu'aux yeux, si sombres qu'ils lui mangeaient la figure. Elle habitait dans les faubourgs de Genève et dut partir afin de prendre le dernier autobus. Alberto lui proposa de rester à l'hôtel de Rive, et elle décida de téléphoner à sa mère pour la prévenir. Alberto l'accompagna au téléphone et l'entendit mentir comme une arracheuse de dents. Son aplomb le frappa.

Elle s'appelait Annette – prénom prémonitoire s'il en était pour Alberto, celui de sa mère bien-aimée. Jamais, au grand jamais, elle ne pourrait en acquérir le a : le a d'Annetta lui manquerait pour toujours.

Annette Arm s'étiolait dans son milieu familial, au Grand Saconnex : son père instituteur et sa mère vivent dans les bâtiments de l'école avec leurs trois enfants. Délurée, Annette sait ce qu'elle veut... Et contre toutes les apparences, avec son air de sainte nitouche et sa grâce, elle sortira de sa pétaudière.

Alberto l'appelle « la petite », et elle devient en effet sa petite. Son rire éclaire la sordide mansarde où il s'escrime en vain, jour après jour, éperdu d'échec, entre ses figurines de plus en plus minuscules. Souvent elles lui échappent entre les doigts, s'affaiblissent et s'affaissent. Son coup de canif a raison de leur agonie.

Et de sa terreur... Le mot tragique de Cendrars, « Tout ce qu'il aimait et étreignait se transmuait aussitôt en cendres », va à Alberto comme un gant.

Petites par la taille, grandes par la proportion, puisque dans leur distance, depuis la vision d'Isabel, ses figurines transportent tout l'espace autour d'elles. Leur amenuisement fait ressortir l'énormité de leur socle. Son ami le poète Jacques Dupin l'élucide merveilleusement : pour la première fois Giacometti dissocie la dimension et la proportion. Cette disproportion accuse leur distance. Bientôt il jouera et jouira de sa découverte, en tempêtant, bien sûr. Ce rapport de la figure et du socle, c'est-à-dire du personnage et de son espace, traduira l'éloignement... La mystérieuse mimésis de sa réalité vierge, proche, si proche de nous, et en même temps lointaine, est en marche.

Annette travaillote le jour, aux bureaux de la Croix-Rouge, et retrouve son sculpteur hirsute, recouvert de plâtre, jusqu'à la racine des cheveux, laissant un sillage blanc partout où il boite. Alberto n'est pas encore célèbre, tant s'en faut. Mais il la sort instantanément de la mesquinerie domestique, familiale. Son verbe la captive, et ce n'est pas faute de la martyriser un peu, avec les « dames » et le reste. Il la fait avancer devant lui en lui donnant des coups de canne sur les jambes et lui crie, pour la taquiner : « En avant, marche ! »

La patronne de l'hôtel la prend en sympathie et lui laisse une mansarde gratuite, pendant qu'Alberto travaille. Sac de plâtre après sac de plâtre, il transporte aussi l'illusion sur l'escalier misérable. Annette veille avec lui dans le feu des tirades, au café, entre Skira, l'éditeur exercé, attentif, le peintre Roger Montandon et les autres. Elle écoute.

Elle écoutera bientôt les « grands » de ce siècle, Sartre, Simone de Beauvoir, Balthus. Lipp va suivre, mais elle n'en sait rien encore. Pourtant, avec cette intuition féminine qui la caractérise, elle se préoccupe de son sculpteur qui va rentrer à Paris. Elle n'a qu'une envie, le suivre, mais il n'en est pas question. Alberto n'y va pas par quatre chemins et le lui dit nettement, ce qui ne fait qu'attiser un peu plus son espoir de le retenir. L'embryon tient bon et ne décrochera pas de sitôt.

Ce qui s'est passé va occuper tout le rêve d'Annette et ses vingt ans

Enfin, la libération de Paris vint, et Alberto attendit impatiemment la délivrance de son visa de retour. Sitôt obtenu, il annonça son départ, et Skira donna un dîner en son honneur. « Vous verrez, assura-t-il à Mme Skira, mes statues seront plus grandes quand vous viendrez les voir… » La même promesse qu'à Diego, sur le quai du train à Paris, non tenue.

Mais Alberto ne partait toujours pas… Diego se déplaça plusieurs fois en vain pour aller chercher son frère à la gare, après qu'il lui eut annoncé son arrivée imminente. Curieusement, Alberto demanda à Annette un prêt pour quitter Genève, et non à Annetta sa mère. La petite s'exécuta. Ce n'était qu'un au revoir.

Le 17 septembre 1945, Alberto prit le train de nuit pour Paris, le même qu'il avait pris, vingt-trois ans plus tôt. Seul.

Et Diego ?

Diego avait remplacé son frère par deux nouvelles venues dans sa vie : une araignée puis une renarde. Pour le reste il avait tiré le diable par la queue, sans nourriture, sans combustible pour se chauffer et sans argent.

Mais un matin de printemps, il fut ébloui par la toile tissée par une araignée devant la porte de sa chambre, près du compteur à gaz. Il empêcha à grand-peine l'employé du gaz de l'arracher. Le fil délicat, tenu et maintenu par cent autres, miracle arachnéen, le bouleverse.

La tisserande magique devint la dame de ses pensées et Diego se mit à attirer les mouches dans une soucoupe, pour lui livrer des proies avec de la confiture, denrée fort rare et chère à cette époque de rationnement. L'araignée se mit à engraisser et suspendait les mouches excédentaires, ne pouvant toutes les avaler, empaquetées dans ses fils de soie au plafond, comme les jambons dans une charcuterie italienne. Diego, fasciné, lui en donnait toujours plus, jusqu'à ce qu'elle mourût de vieillesse. Il recueillit sa dépouille poussiéreuse religieusement, bien qu'elle fût devenue une loque. L'étincelante illusion avait remplacé Alberto.

Il fallait aussi nourrir Nelly, trop paresseuse pour travailler. Il lui avait trouvé en vain un emploi chez Guerlain. Les femmes étaient vraiment des enquiquineuses, bonnes à s'accrocher aux hommes sans demander leur reste. Les deux frères étaient au fond aussi misogynes l'un que l'autre. Il dut vendre un dessin de Picasso donné à Alberto pour subsister et prit un emploi dans une petite fonderie rue Didot, où il devint l'as des patines.

Diego m'a raconté que se rendant chez Guerlain aux Champs-Élysées livrer ses appliques et luminaires commandés pour l'institut de beauté, il trouva la boutique réquisitionnée par Goering... Le maréchal faisait la razzia sur toutes les savonnettes *L'Heure bleue.* J'entends encore sa voix : « Tu sais, ces choses... » Il cherchait le mot. « Des sa-von-ne-ttes. » Il n'en resta plus une...

Chaque jour, Diego passait rue Hippolyte-Maindron vérifier l'atelier d'Alberto et le sien, juste en face, loué avant-guerre au gardien de l'ensemble du bâtiment délabré, Tonio Pototsching, un Suisse ; Tonio vivait avec une concierge, Renée Alexis qui faisait le travail pour lui. Il s'était mis à collaborer avec les Allemands et fila devant le retournement des événements.

Un voisin de Diego avait été arrêté par la Gestapo, déporté et torturé. Il revint d'Auschwitz, avec une petite renarde apprivoisée là-bas, à la libération du camp. Il la tenait enchaînée, ce qui indigna Diego. Diego adorait les animaux et lui reprocha de rendre cette exilée une détenue à vie, loin, si loin de sa steppe natale. L'ancien déporté lui offrit la renarde.

Diego l'installa dans l'atelier et l'appela Mademoiselle Rose. Elle était libre de circuler entre les deux ateliers mais Diego veillait à fermer la porte donnant sur la rue. Ce fut une histoire d'amour. Mademoiselle Rose au pelage doré faisait la belle pour Diego, qui lui avait aussi appris à jouer la morte... Les yeux fermés, les mâchoires entrou-vertes, elle se laissait tourner et retourner par Diego sans donner signe de vie. « Tu es morte, tu es morte », riait-il. Mais à la moindre indifférence de son maître bien-aimé elle bondissait pour l'étreindre et lui mordiller le cou. Leur intimité n'était interrompue que par les visiteurs. L'intrusion dans sa lune de miel de jeux, d'audaces et de tendresse effarouchait la renarde. Mademoiselle Rose se précipitait alors dans un terrier qu'elle s'était creusé sous un tas de plâtre. Elle y cachait les bouts de viande que Diego lui donnait. Son odeur régnait, âcre et intense, sans déranger son maître épris et solitaire.

Ainsi Diego remplaça-t-il Alberto. D'abord par une araignée, magique tisserande, puis une renarde dorée, la queue en panache, aimante et exclusive.

Un matin, une fois encore, Diego s'était inutilement déplacé à la gare de Lyon pour chercher son frère à l'annonce d'un télégramme. Au milieu de l'après-midi, Alberto entra dans l'atelier, sa valise à la main. Les deux hommes s'étreignirent.

Tout était comme Alberto l'avait laissé, en décembre 1941, son canif là où il l'avait posé, petit garde du cœur. Mais une odeur nauséabonde lui narguait les narines, une intruse avait pris la place, sa place. La pauvre petite renarde, un peu interdite par ces retrouvailles, ne sachant « et transir et brûler », se tenait entre ces deux extrêmes raciniens. L'incandescent Alberto ne dit mot, ce qui n'était pas dans sa nature, et garda un silence de mort, devant les explications de Diego. Le jour de son retour, il ne pouvait pas lui faire une scène.

Diego lui recommanda, le soir venu, de bien laisser fermée la porte du passage sur la rue, unique protection pour Mademoiselle Rose, et partit dîner avec Nelly, sans inquiétude. Alberto allait retrouver ses habitudes nocturnes.

Le lendemain matin, revenu de bonne heure, Diego trouva la porte entrebâillée… Mademoiselle Rose avait disparu. Mademoiselle Rose d'Auschwitz, sans tambour ni trompette, avait été libérée par un mystérieux volontaire.

Diego avait-il lu *Petit déjeuner chez Tiffany* de Truman Capote ? « Ne vous attachez jamais à une créature sauvage… un faucon avec une aile blessée, un lynx avec une patte cassée. Plus vous le faites, plus elle reprend des forces jusqu'à ce qu'elle en ait assez pour retourner dans les bois ou grimper à un arbre, puis à un arbre plus haut et finalement c'est le ciel. »

Pour Alberto, l'histoire d'amour de son frère ne pouvait plus durer. Qui d'autre que lui avait ouvert la porte ? Furieux, malheureux, Diego ne fut pas dupe et ne l'oublia jamais. Il reconstitua les traits fins de la renarde sur un candélabre baroque qu'il composerait pour les cinquante ans d'Alberto, et sur tant de ses sculptures à lui. Son roman intime se déroulait, parallèle. Son peuple était celui des animaux, il laissait l'autre, celui des humains, à Alberto. Il ne se séparerait d'ailleurs plus d'une chatte.

« Comment l'appelles-tu » ? lui demandai-je un jour à propos de la chatte reine du logis. Elle avait droit au seul fauteuil, le sien, avec son plaid dans la pièce où je le retrouvais : « Oh, Minou, Minou. » Il leur donnait. toujours le même nom. Un pot de yaourt vide attendait, avec du lait, sur l'établi au milieu de ses instruments de travail.

La bronchite d'Alberto enflammait de nouveau l'atelier. Il fumait sans arrêt en travaillant. Ses créatures infinitésimales transportées dans des boîtes d'allumettes paradaient, son unique progéniture. Il avait brûlé tous ses dessins avant de quitter Genève. La canne, peu à peu, lâchait sa prise.

Isabel

Depuis ce crépuscule de juin où ils s'étaient dit adieu, cinq ans auparavant, Isabel lui avait écrit. Elle vivait à Londres avec Constant Lambert, le compositeur et chef d'orchestre, pour lequel elle avait quitté son mari. Plus âgé qu'elle, Constant Lambert boitait et s'aidait d'une canne. Tous deux buvaient ferme.

Alberto avait répondu à Isabel qu'il attendait pour la rejoindre de pouvoir lui annoncer un franchissement dans son travail. Ce besoin omnipotent d'atteindre «une certaine dimension» se heurtait toujours à l'amenuisement. Mais quand Alberto demanda à Isabel de venir vivre avec lui, elle accepta.

Une chambrette sur deux sycomores, dans le bâtiment délabré au coin de la rue Hippolyte-Maindron et de la rue du Moulin-Vert, modeste, à côté de celle de Mme Alexis, une salle d'eau commune au bout du couloir, accueillit le nouveau couple. Le feu de paille allait s'éteindre en trois mois à peine. Isabel n'était pas une mystique.

Tailleux, le peintre et l'ami, l'heureux père d'une petite fille en Bretagne, le jour de Noël, décida de célébrer l'événement le soir même chez sa mère, rue du Bac. Tous les artistes vinrent au rendez-vous. Un jeune musicien très beau, René Leibowitz, champion de l'avant-garde, fila

avec Isabel, qui prit son manteau et le suivit. «Ça alors»!
s'exclama Alberto, de sa voix de rocaille. Isabel revint
seulement rechercher ses affaires. Elle ne verrait pas
les premières feuilles sur les sycomores… Alberto s'en
accommoda. Une autre que la renarde avait fait sa fugue.
Les dévoreuses ne troubleraient plus le duo des frères.

Sauf que… la «petite» écrivait toujours à son sculpteur. Curieusement, Alberto se souvint brusquement
d'une paire de chaussures qui lui avait plu, à une vitrine
de Genève… Quoi de plus intime, en l'occurrence, pour
le boiteux que de se chausser? Il envoya une lettre à
Annette, lui décrivant en long et en large le modèle
désiré, la taille convenable et l'adresse. Le paquet devrait
être remis à Skira puis confié à Roger Montandon, le
jeune peintre résidant à Paris. Tout était scrupuleuse-
ment noté et prévu.

Ainsi fut fait. Le paquet arriva à l'atelier par le
porteur Montandon, ahuri de voir Alberto éclater de
fureur quand il l'ouvrit : ce n'était pas la paire qu'il avait
demandée! Il éructait de rage contre Annette, cette idiote,
bonne à rien, et se précipita dehors, sans même les avoir
essayées, pour les jeter à la poubelle. Sidéré par l'explosion d'Alberto, si pauvre qu'il se dépouillait encore plus
en se débarrassant de ces chaussures luxueuses, en ces
temps d'austérité, Montandon n'en croyait pas ses yeux
ni ses oreilles. La scène se muait en psychodrame. Une
malédiction avait pris le relais du messager. Alberto,
hors de lui, toussait, crachait, hurlait, comme s'il avait
été mordu par une vipère.

Cruellement décomplété de cette paire de chaussures
dont il attendait la jouissance, Alberto fait songer à cet

« objet transitionnel » décrit chez les enfants par Winnicott, jouets ou morceaux de couverture indispensables pour leur repérage subjectif, médiation nécessaire entre le « dedans » et le « dehors ». Toute la puissance du fétiche en découle, pare-angoisse impératif.

Point n'est besoin d'un devin pour comprendre l'injure que lui fait Annette. Au lieu d'enfiler les chaussures désirées, de les mouler à son pied, Alberto se retrouve floué par sa jeune amoureuse. Le paquet devait les rapprocher l'un de l'autre au lendemain de la disparition d'Isabel, lui apporter cette volupté entrevue dans une vitrine... Les signes surgissent et disparaissent sans crier gare.

1945-1956
L'érection

Cet amenuisement, né de la vision d'Isabel, toute petite, à minuit boulevard Saint-Michel, avec l'immense noir des maisons au-dessus d'elle, il s'en est expliqué auprès de Pierre Dumayet. Voix accentuée et tourmentée. Alberto tenait dans le creux de sa paume une minuscule sculpture, de deux centimètres à peine.

« En plus, elle est abîmée, il y a une jambe qui est partie, mais on voit un peu le ventre et les seins... En plus, non seulement elle est petite, cette femme, mais elle est abîmée, non seulement elle est petite, mais encore elle prétend ressembler à quelqu'un : en plus, pour moi c'est un portrait.

– Qui est-ce ? demanda le journaliste.

– C'était une amie, une Anglaise. »

Staël parle merveilleusement des dégâts de la « virtuosité à rebours ». Dans l'atelier où il se suicida, sur la toile ses deux *Concerts inachevés* : un fauteuil, un piano à queue, une forêt de pupitres et de partitions. Lui va s'engloutir dans le ventre rouge de son dernier violoncelle.

Mais Alberto va retrouver ses rythmes.

Par quel miracle ? Un hasard transformé en destin, comme d'habitude.

L'illumination

L'instant révélateur l'attend, boulevard Montparnasse. Un presque frère de son boulevard Saint-Michel, où la vision d'une Isabel minuscule, immergée dans la nuit, l'avait bouleversé. C'est un soir, en allant au cinéma, que le choc se produisit. Les travaux forcés d'Alberto, attaché à sa figurine, allaient disparaître. Mais laissons parler Alberto, au bord du temps, de ce temps mystérieux, particulier à chacun, des moments féconds d'une vie.

« Et alors tout d'un coup, il y a eu une scission. Je me rappelle très bien, c'était aux Actualités, à Montparnasse, d'abord je ne savais plus très bien ce que je voyais sur l'écran ; au lieu d'être des figures, ça devenait des taches blanches et noires, c'est-à-dire qu'elles perdaient toute signification, et au lieu de regarder l'écran, je regardais les voisins qui devenaient pour moi un spectacle totalement inconnu. *L'inconnu était la réalité autour de moi* et non plus ce qui se passait sur l'écran ! En sortant, sur le boulevard, *j'ai eu l'impression d'être devant quelque*

chose de jamais vu, un changement complet de la réalité…
Oui, du jamais vu, de l'inconnu total, merveilleux. »

Ce mot de merveilleux, il l'avait prononcé devant Isabel, tout à son bonheur de marcher, de tournoyer sur ses deux jambes, juste avant l'accident.

« Le boulevard Montparnasse prenait la beauté des Mille et Une Nuits, fantastique, totalement inconnue… et en même temps, le silence, une espèce de *silence* incroyable. Et alors ça s'est développé. »

La dimension de l'infime, « équivalente en abîme à l'immensité des montagnes », écrira Bonnefoy, le quitte. Pour la première fois, il se sépare de la vision photographique ou cinématographique. Les images regardées par les spectateurs du cinéma ne lui parlent plus, seule SA réalité compte. Il a trouvé, après ce périple infernal qui l'a conduit aux limites de la disparition, le sens tant refusé et remis en cause de sa vision.

« Moi, j'ai commencé à vouloir représenter ce que je vois le jour même… *Je me suis juré de ne plus laisser mes statues diminuer d'un pouce.* » Ce serment à soi-même, il peut désormais le tenir. Lui faire face. Sa vision en a décidé, unique arbitre et incorruptible pour lui permettre d'éclore. *Nuit* naît : fragile figure solitaire, les pieds écartés, sans visage, sur son piédestal.

Le matin, Diego reprend le guet. L'exultation de son nouvel être possède Alberto.

« J'ai un système nerveux qui est comme de l'astrakan », confiait Cocteau à la mort de Radiguet. L'opium, seul, l'apaisait. Alberto, lui, a Diego. Diego prêt à tout pour interrompre ce cycle de destruction vécu par Alberto dans sa chair. Il sait le prix effroyable qu'il paye. Et il possède maintenant tous les moyens du bord pour le seconder et lui obéir : plâtres, patines n'ont plus de secret pour lui. Pas un grain de poussière qui n'ait son âme, chez les Giacometti. Diego conjure, travaille, tranquillise. Entre le sauvé et le perdu, la grotte de leur mémoire et la respiration de leur atelier, le médium reste Diego, frère de travail s'il en est.

«Turbine», disait Derain. C'est par le dessin, en 1945, que tout recommença. Alberto dessina Diego, bien sûr, Sartre, Aragon, peignit le portrait de son ami Tériade, l'éditeur de *Verve,* réalisa les bustes de Simone de Beauvoir, Marie-Laure de Noailles et Picasso. Dans le passage de ses doigts à la masse de terre, la transmutation se poursuit.

L'allongement

Après les paroxysmes du minuscule, son talisman, il ne faudrait pas croire que les choses allèrent de soi. Mais une nouvelle croyance est apparue. L'insurrection de la matière le provoque, son effervescence égale sa nécessité.

Le dessin le conduit à vouloir réaliser des figures grandes, des nus, «mais alors, à ma surprise, elles n'étaient ressemblantes que longues et minces». Les nouveaux Giacometti témoignent d'un allongement extrême des figures. Il va aller de pair avec leur amincissement, presque filiforme, l'aplatissement de la tête et sa réduction, enfin l'amplification volumineuse des pieds, ces porteurs des racines de notre être.

On sait la passion d'Alberto pour l'art primitif et sa langue magique. Il travaille jour et nuit. La taille n'a pas dit son dernier mot. Des séquences d'énergies prodigieuses, météores saisis par Diego, traversent sa vie et donnent corps à un nouveau monde. Mais écoutons Alberto : « La violence me touche dans la sculpture… La sculpture des Nouvelles-Hébrides est vraie, et plus que vraie, parce qu'elle a un regard. » Depuis qu'il est sorti du cinéma, où d'habitude il ne se passait rien, la réalité l'étonne comme jamais et lui fait accepter sa vue propre. « Et à ce moment j'ai éprouvé de nouveau la nécessité de peindre, de faire de la sculpture, puisque la photographie ne me donnait en aucune manière une vision fondamentale de la réalité. » Le processus annonce une miraculeuse fécondité.

L'hiver 1946 fut rigoureux : pas de charbon pour chauffer l'atelier. Alberto mangeait à peine, sans égard pour le délabrement de son estomac. La seule plénitude qui lui importe, sa création, lui dicte son essence : la minceur accompagne la haute taille de ses figures, presque exclusivement des femmes. Il les met debout.

L'arrivée d'Annette

À Pâques, Alberto retourna à Genève rendre visite à sa mère, et le séjour fut marqué par un événement considérable : pour la première fois, Annette posa pour lui.

Annette vivait avec l'unique désir d'aller à Paris, et elle s'en ouvrit à Alberto. Certes, il ne l'invita pas à le rejoindre, mais elle avait franchi un grand pas en devenant son modèle. Comment cette jeune provinciale allait-elle frayer avec les intimes d'Alberto, enfin célèbres, Balthus, Georges Bataille, Sartre ? Il ne dit pas non. Docile, têtue, la petite a gagné sur la figurine. La béance affective de l'absence de Diego lui avait frayé le chemin vers le gîte misérable où Alberto végétait à l'hôtel de Rive.

Aucune réparation n'avait été faite dans l'ensemble délabré où vivait Alberto, même si le pseudo-gérant, Tonio Pototsching, était revenu de sa fuite, avec sacoche d'argent, vers l'Est, hâve, harassé, souffrant d'un cancer du foie et sans plus de sacoche auprès de Renée Alexis pour qu'elle le soigne. L'hôtel de Rive n'avait pas effarouché la petite, alors l'atelier... C'était bien le dernier souci d'Alberto, qui ne changerait pas d'un iota ses habitudes.

Le 5 juillet 1946, Annette Arm arriva. Alberto n'était pas sur le quai à l'attendre, et se présenta en retard à la gare. Elle portait sa jupe grise et son chemisier blanc, Diego la trouva modeste, agréable. Ni lui ni son frère ne supportaient les pots de colle, la petite aurait pu être leur fille et ne serait pas trop gênante. Alberto l'emmena au café des Deux-Magots, où ils rejoignirent Picasso et Balthus.

Bientôt la belle Patricia Matta, l'épouse américaine et fortunée du peintre chilien Matta, grande admiratrice d'Alberto, la prit sous son aile, avec Simone de Beauvoir, pleine de commisération, et toutes deux lui donnèrent d'anciennes robes ou manteaux. De nombreux soirs, Annette dînait d'un morceau de pain et d'un peu de camembert. Alberto lui avait trouvé du travail l'après-midi, comme secrétaire auprès de Georges Sadoul, vieil ami surréaliste et historien du cinéma. Souvent, Annette s'endormait au café, et Alberto se moquait mais il y avait en elle une endurance granitique. Ne vivait-elle pas son rêve ?

Tonio Pototsching se décomposait, dans la chambre voisine de celle d'Alberto et d'Annette. Son cancer du foie le rongeait. À trois heures du matin, le 25 juillet, il rendit le dernier soupir et Renée Alexis, déboussolée, vint chercher Alberto à l'atelier, sûre de le trouver éveillé, au travail. Mais laissons parler Alberto.

« Jamais aucun cadavre ne m'avait semblé si nul, misérable débris à jeter dans un trou comme les restes d'un chat. Les membres squelettiques, étendus, écartés, projetés loin du corps, l'énorme ventre gonflé, la tête rejetée en arrière, la bouche grande ouverte. Debout immobile devant le lit, je regardai cette tête devenue un objet, une petite boîte, mesurable, insignifiante. À cet instant une mouche s'approcha du trou noir de la bouche et disparut lentement à l'intérieur. »

La vision sensibilisait Alberto dans toutes ses fibres, ce retour du cadavre qui avait tant impressionné sa jeunesse, au chevet de Van Meurs. Il aida Mme Alexis à l'habiller « du mieux possible, comme s'il devait se présenter devant une brillante assistance, un bal peut-être, ou partir pour un long voyage. Je soulevai sa tête, la baissai, la bougeai comme un objet quelconque, pour lui nouer sa cravate. Il se trouva curieusement vêtu : tout semblait comme à l'ordinaire, naturel, mais il n'avait ni ceinture, ni bretelles et pas de souliers. Nous le couvrîmes avec un drap, et je retournai travailler jusqu'au matin. »

L'application d'Alberto à respecter l'habillage du mort appartient bien au fils d'Annetta de Stampa, provinciale et rituelle. Son rythme n'en change pas pour autant et il retourne à l'atelier devenu sa seule maison-mère. Pas auprès de sa jeune compagne.

La nuit suivante, en rentrant dans sa chambre, Alberto s'aperçut qu'il n'y avait pas de lumière. Or son exigence de garder l'ampoule allumée ne s'était en rien modifiée avec l'arrivée d'Annette dans son intimité.

Impossible de taire l'épisode de terreur qui va s'ensuivre : les mots d'Alberto le rendent poignant. « Annette, invisible dans le lit, dormait. Le cadavre était encore dans la chambre à côté. Ce manque de lumière me fut désagréable, et sur le point de traverser nu le couloir conduisant à la salle de bains et qui passait devant la chambre du mort, je fus pris d'une véritable terreur et, tout en n'y croyant pas, j'eus la vague impression que Tonio était partout, partout sauf dans le lamentable cadavre sur le lit, ce cadavre qui m'avait semblé si nul ; *Tonio n'avait plus de limites et, dans la terreur de sentir sa main glacée toucher mon bras, je traversai le couloir avec un immense effort, revins me coucher et, les yeux ouverts, je parlai avec Annette jusqu'à l'aube. En sens inverse, je venais d'éprouver ce que j'avais ressenti quelques mois plus tôt devant les êtres vivants.* »

La mort sur le visage des vivants

Après l'instant initiatique dans le cinéma de Montparnasse, Alberto réalise que sa vision du monde avait été photographique, comme elle l'est pour presque tous.

Son commencement, attendu si longtemps, fait de lui le guetteur de l'ombre. De ce que lui, Alberto, voit.

« Je me mis à voir des têtes dans le vide, dans l'espace qui les entoure. Quand, pour la première fois, je perçus clairement comment une tête que je regardais pouvait se fixer, s'immobiliser définitivement dans le temps, j'en tremblai de terreur comme jamais dans ma vie et une sueur froide me ruissela dans le dos. Ce n'était plus une tête vivante, c'était un objet comme les autres que je regardais, ou plutôt, cela ne ressemblait pas à n'importe quel objet, mais à quelque chose qui serait à la fois *vivant et mort. Je poussai un cri de terreur, comme si j'avais franchi un seuil, comme si j'entrais dans un monde jamais entrevu. Tous les vivants étaient des morts.* »

La vision va se répéter. Dans le métro, dans la rue, au restaurant, soudaine et indubitable. « Le garçon de la brasserie Lipp s'immobilisait, au moment où il se penchait vers moi, la bouche ouverte, les yeux figés dans une immobilité absolue. » Non seulement les gens, mais les objets s'en mêlent : tables, chaises, vêtements, même les arbres et les paysages… Révélation et exultation saisissent en Alberto l'aveugle qu'il fut, selon ses propres dires. Sa vision nouvelle-née déclenche un cycle tout-puissant dans son être.

Les rêves d'Alberto ou les fruits de l'inconscient

Skira venait souvent à Paris. Un samedi d'octobre 1946, il invita Alberto et d'autres convives à déjeuner. Le thème abordé, le journal intime, passionna Alberto, qui proposa d'en commencer un tout de suite... Son récit de la mort de Tonio encore sur la langue, il fut immédiatement enrôlé par Skira pour le prochain numéro de *Labyrinthe.*

Le même jour à six heures, Alberto apprit que son bien-aimé Sphinx et autres bordels, sur décision de l'Assemblée nationale, allait disparaître. Il se précipita boulevard Edgar-Quinet.

Son déjeuner copieusement arrosé et son émoi devant la nouvelle accentuèrent son ivresse pour ce dernier rendez-vous... Il quitta le Sphinx, persuadé d'y avoir attrapé une infection, mais bien loin de prendre les mesures nécessaires, il sombra dans une passivité ambiguë, en attendant les symptômes qui ne manqueraient pas de se produire. « Je sentis plutôt obscurément que le mal pourrait m'être utile, m'apporter certains avantages, bien que je ne susse pas lesquels. »

Il fit part cette même nuit à sa jeune compagne de sa conviction d'avoir été infecté, et Annette se mit à rire. Étrange réaction pour Alberto, qui ne pouvait être dupe des traces de pus jaune apparues sur une feuille blanche et glacée. Annette demanda à voir. L'inévitable ampoule allumée veillant sur leur sommeil, Alberto fit un rêve, si obsédant qu'il le transcrivit tout de suite au réveil. Le rêve est un étrange atelier de réparation. « Mais la plupart des rêves commencent parce qu'il y a en nous des furies qui soufflent et défoncent tous les murs », écrit Truman Capote.

« Effrayé, j'aperçus au pied de mon lit une énorme araignée brune et velue dont le fil auquel elle tenait aboutissait à la toile tendue juste au-dessus du traversin.

– Non, non, m'écriai-je, je ne pourrai pas supporter toute la nuit une pareille menace au-dessus de ma tête, tuez-la, tuez-la. »

La taille de l'araignée noire rappelle la sculpture géante que Louise Bourgeois avait appelée *Mama*, terrifiante vision du pédicule reliant la tête à l'abdomen, inoculateur de venin par les filières ventrales !

Alberto crut se réveiller dans le rêve, et, la cherchant involontairement des yeux, aperçut, comme étalée sur un tas de terre et de débris d'assiettes, une araignée jaune ivoire, bien plus monstrueuse que la première, mais lisse, couverte d'écailles, à longues pattes minces, lisses et dures. Terrorisé, il voit la main de son amie s'approcher et toucher les écailles de l'araignée, sans peur. Annette la caresse. « En criant, j'éloignai sa main et, comme dans le rêve, je demandai de tuer la bête. Une personne que je n'avais pas encore aperçue l'écrasa avec un long bâton ou une pelle, en frappant de grands coups violents, faisant crisser les parties molles écrasées… » Une vieille gouvernante maugrée, à la recherche de l'araignée perdue. Il voit alors sur un débris un nom d'espèce indiquant la rareté du spécimen qu'il a détruit, et voulant éviter la mauvaise humeur de ses hôtes collectionneurs, sort dans le parc avec l'assiette contenant le débris. « J'allai à un bout de terre labourée cachée par des fourrés au pied d'un talus et, sûr de n'être pas vu, je jetai les débris dans un trou que je piétinai en me disant : les écailles vont pourrir avant qu'on puisse les découvrir. »

L'araignée noire et velue, puis l'araignée blonde et précieuse reflètent à coup sûr le sexe de la femme,

Le père, Giovani Giacometti, peintre.
Autoportrait, 1909.
Coll.part.

La mère, Annetta Giacometti, née Stampa,
le nom du village. *Auf der Laube*, 1910,
de Giovani Giacometti.
Photo © Andrea Garbald, 1909

L'excursion avec les parents : Alberto, le regard
plongé dans les yeux de sa mère,
Diego malheureux essaie de cacher sa main blessée.
Ottilia tient le genou de son père,
qui porte Bruno, son plus jeune fils, au col marin.
Photo © Andrea Garbald, 1909/
Fondation suisse pour la photographie, Zurich.

Les quatre enfants :
Diego, Ottilia, Bruno, Alberto, 1911.
© Gertrud Dübi-Müller/
Fondation suisse pour la photographie, Zurich.

Diego, crayon
par Giovani Giacometti.
Coll. part.

Main de Claude Delay, par Diego Giacometti.
© ADAGP, Paris 2007.

Le Couple,
sculpture de Diego Giacometti.
© ADAGP, Paris 2007.

De Diego :
Guéridon de bronze,
à feuilles et chouette ;
Le Chat maître d'hôtel ;
Chandelier, avec têtes de chevaux
et le masque de sa renarde bien-aimée,
Mademoiselle Rose, élaboré pour
le cinquantième anniversaire d'Alberto.
© ADAGP, Paris 2007.

Alberto vers vingt ans.
© Coll. part. D. r.

Diego dans son atelier,
rue Hippolyte-Maindron, Paris 1983.
© Martine Franck / Magnum Photos.

Alberto rentrant à l'atelier,
rue Hippolyte-Maindron.
© Pierre Vauthey/Corbis Sygma.

Alberto au café
© Jean-Régis Roustan / Roger-Viollet.

Diego, seul.
Coll. part.

Les tombes. Au cimetière de Stampa,
tout le monde ou presque s'appelle
Giacometti. Tombe d'Alberto,
où Diego plaça son dernier buste,
sauvé par lui, celui de Lotar. Il fut volé.
La tombe de Diego, avec sa branche
de laurier, adossée à celle de son frère.
Coll. part.

vorace. Il lui fait si peur… Les araignées femelles dévorent souvent le mâle, plus petit, après l'accouplement. Un autre que lui peut s'y attaquer, la faire disparaître, à l'aide d'un grand bâton, le pénis masculin dont il se sent dépourvu. Le trou bien-aimé de l'enfance, la cachette suprême où il enfouit les débris de son infraction, comme autrefois son morceau de pain, de Stampa à Venise, ne le sauve pas du regard de ses hôtes collectionneurs, qui lui passent dessus, à cheval. Lui enterre, eux montent.

Son réveil, inondé de sueur froide et ruisselante, ne put le calmer. Sa serviette de toilette pendait sur une chaise, terrifiante de silence et d'immobilité. Il eut l'impression, encore, de la voir pour la première fois, suspendue sur un océan de vide… Cette serviette participant de la solitude humaine. Les pieds de la chaise lui parurent ne plus toucher le sol. Le vivant et le mort se côtoyaient, dans sa vision simultanée de l'être et du néant, comme il en avait eu la révélation, au cinéma de Montparnasse.

Après son déjeuner avec Roger Montandon, auquel il fit le récit de son rêve, si détaillé, Alberto alla consulter l'indécrottable docteur Fraenkel, à l'autre bout de Paris. Cette fois l'homme de l'art ne pouvait se tromper de diagnostic, à moins d'avoir la berlue. L'infection vénérienne était évidente et il prescrivit des sulfamides. En sortant du cabinet, Alberto se rendit à la Pharmacie centrale de Montmartre, puis en la quittant, ses tubes de médicaments à la main, il aperçut un petit café dont l'enseigne s'étalait devant ses yeux : Au Rêve. Le destin s'en mêlait toujours, pour le superstitieux.

Tout revit, dans cette étrange coïncidence. La chambre contiguë à la sienne, dans le pavillon au fond du jardin délabré, où Tonio, jaune ivoire – la couleur de l'araignée blonde et celle du pus –, apparaît déjà étrangement lointain. Il le voit, à trois heures du matin, mort, squelettique sous son ventre boursouflé, la tête jetée en arrière, la bouche ouverte. La vérité de la mort l'interpelle, de nouveau, la vérité du cadavre, initiatique, qui l'a tant bouleversé au chevet de Van Meurs et se répète, à des intervalles fatidiques.

Dès son retour, cet après-midi-là, Alberto se mit à composer *Le Rêve, le Sphinx et la mort de T*, le texte si éclairant sur ses fantasmes destiné à Skira et à son *Labyrinthe.* Son journal intime, le plus intime.

Cette vision d'un mort a scellé sa vie. Le trauma, devenu endogène, s'est greffé sur l'expérience personnelle d'Alberto à jamais attachée à la disparition, l'annulation de l'être : atroce ambiguïté qui déshonore la réalité, la rend vulnérable et survivante. La menace se pose sur chaque visage humain et la hiératique féminité des modèles femmes d'Alberto rejoint une dimension d'éternité comme si seule cette dernière pouvait apaiser le drame en suspens...

L'épaisseur de l'araignée brune, la densité des poils évocatrice de la toison pubienne de la femme, l'apparition de l'araignée jaune et de ses écailles, pièce de collection, sa tête et l'acuité de la patte, avancée, l'hallucinent. Il se revoit, lui qui enterre dans son rêve les débris de l'araignée jaune, dans un autre pré, entouré par des fourrés à la lisière d'une forêt...

Alberto remonte à l'annonce, destinale, le recherchant, puis au temple de Paestum où l'homme surgit. Les dimensions du temple, l'homme devenant géant entre les colonnes, le renvoient à la dimension de ses têtes, aux différences d'objets à êtres vivants. Assis dans son café de Barbès-Rochechouart, il prend enfin la mesure d'un temps qui ne va plus à rebours, du présent au passé, mais bien d'un temps circulaire, incluant son histoire dans une simultanéité des événements : le rêve de l'araignée, le pus, la curiosité d'Annette, l'ensevelissement des débris de l'insecte maudit, du pain de l'enfance et du pain dans le canal de Venise, après la mort de Van Meurs, la mort de Tonio, son cadavre habillé, et les têtes figées dans le vide. « La liberté de commencer par où je voulais, partir par exemple du rêve d'octobre 1946 pour aboutir après tout le tour quelques mois plus tôt devant les objets, devant ma serviette. »

Depuis 1921 et sa trouée dans sa vie, à octobre 1946, il raconta inlassablement la scène, mais ne put l'écrire. « Seulement aujourd'hui, à travers le rêve, à travers le pain dans le canal, il m'est devenu possible de le mentionner pour la première fois. »

Sommes-nous si loin, avec le peuple des araignées, tenace pour Alberto depuis le dessin de la femme araignée suspendu à une punaise sur son lit autrefois, du peuple errant des Amazones, lunaire et nocturne, d'Osiris déchiqueté et pleuré par une femme, de l'ivresse meurtrière des Bacchantes, et du sang ruisselant d'Adonis, sous la meute des chiens de Penthésilée ? Alberto se nourrit des mythes depuis l'adolescence et de ses visions inaccomplies et inassouvies des prostituées qu'il aime.

Dans sa forêt d'efforts, d'incertitudes, de doutes, de démissions, de rémissions et de retrouvailles, Artaud et son « paysage de roman noir, tout transpercé d'éclairs », comme le définissait André Breton, prennent sens, pour Alberto. Artaud aussi s'était séparé de ses amis surréalistes, en publiant *À la grande nuit, ou le bluff surréaliste*. André Gide évoquait ainsi les mains d'Artaud : « Des mains de qui se noie, tendues vers un insaisissable secours, tordues dans l'angoisse, racontant l'abominable détresse humaine, une sorte de damnation sans recours, sans échappement possible que dans un lyrisme forcené. »

Artaud n'écrit que par affres, et exalte son « impouvoir ». L'exhibition qu'Artaud fait dans les mots, Alberto la sculpte. Il croit, lui aussi, « aux aérolithes mentaux, aux cosmogonies individuelles ». Entre rires et défis, la création naît d'une privation vitale intime, pour devenir une odyssée mentale au singulier, réchappée du naufrage. Artaud crie : « Je n'aime pas les poèmes de la nourriture, mais les poèmes de la faim. »

Artaud voyait dans son propre patronyme la contraction d'ARThur RimbAUD. Il clamait sa fidélité à Lautréamont, « mort de rage pour avoir voulu, comme Edgar Poe, Nietzsche, Baudelaire et Gérard de Nerval, conserver son individualité ». La plongée en enfer d'Artaud, entre asiles et électrochocs, passant par « ce bougre d'ignoble saligaud de Dr. L. » entendez Jacques Lacan, qui l'aurait déclaré « fixé », perdu pour la création, est-elle si étrangère à la plongée nocturne d'Alberto dans son cher Sphinx et autres lieux de passe, d'où il rentre torturé et blême, au petit jour ? S'il n'y avait eu

Diego à la sortie, l'intérimaire du jour, le garde du cœur, le comptable de l'immunité... S'il n'y avait eu Diego pour lui dessiner du doigt sur le plateau de poussière de la table son ordre fraternel : «Tu me fais ça.» Asiles, ateliers, où se terrent des forces géologiques.

Artaud fut trouvé mort, à l'asile d'Ivry, «un matin levant», comme il l'écrivait deux ans plus tôt de Lautréamont. Il avait publié *Van Gogh, le suicidé de la société*, mort à trente-sept ans d'un coup de fusil dans le ventre. Sur ses corbeaux peints, deux jours avant sa mort, Artaud dissèque «ce noir de truffes, ce noir de gueuleton de riches et en même temps excrémentiel des ailes des corbeaux surpris par la lueur descendante du soir».

Depuis le chœur des figurines-érinyes, sur l'évier de sa chambre à l'hôtel de Rive, à Genève, Alberto ne recule plus devant les détails jusqu'à disparition... Il est passé de la terreur à l'émerveillement du boulevard Montparnasse. Son modèle, c'est l'inconnu.

Mais des exorcismes vont libérer Alberto de sa longue, si longue marche dans l'angoisse, pour lui permettre une fécondité nouvelle.

En 1947, *Nez* et *Tête sur tige* voient le jour. Ce nez hallucinatoire qui pointe hors de la cage, c'est bien celui de Van Meurs mourant, puis mort, qui l'a tant terrifié. Il y a plus de vingt-cinq ans déjà, l'âge d'une majorité d'homme, depuis sa découverte de la fragilité et de la précarité de la vie, éminemment transitoire puisqu'elle peut, d'un instant à l'autre, basculer dans le néant. Nez si long que sa protubérance se charge d'un symbolisme phallique outrancier. La trompe maudite, ce trophée de sa peur, prend la virulence des crânes surmodelés de l'Océanie, si chers à Alberto depuis sa jeunesse.

Tête sur tige n'est pas autre chose que la vérité béante du cadavre. Non plus l'agonie, mais la délivrance pour Alberto, enfin exorciseur de lui-même, par cette terrible conjuration de sa sculpture, petite tête grimaçante et sèche, renversée sur son clou de fer, plâtre saisissant que photographiera Ernst Scheidegger. L'anniversaire de la mort de Van Meurs, par celle de Tonio, déclenche chez Alberto les mêmes mots : « Je regardai cette tête devenue un objet, une petite boîte, mesurable, insignifiante. » Non seulement il n'enterre plus, dans la cachette du trou, mais il exhibe son poignant fétiche.

Instants fondateurs de la transmission de son travail, de sa présence au monde, initiée par ces traumatismes effroyables qui l'avaient gardé prisonnier. Sa *Main*, bouleversant appel, où certains virent un mémorial de l'exode et de ses membres déchiquetés, apparaît bien plus l'outil même de son renouveau. *La Main*, aux cinq doigts écartés, intacts – comment oublier le doigt manquant de Diego ? – cette main magique répond enfin à son exigence la plus secrète, celle de faire trace dans le désert du temps.

Nus de femmes debout, dont le grain hardi laisse visibles les aspérités. *Homme au doigt* ou *Pointing Man,* se dresse nu, bras levé, le doigt tendu indiquant la direction, dans l'élan et la foulée, pénis visible pour la première fois et peut-être la seule ; *Homme qui marche,* plâtre photographié par Patricia Matta, devenu bronze entre les mains de Diego. Les deux frères travaillent main dans la main.

L'exposition Giacometti à la galerie Pierre Matisse s'ouvrit à New York le lundi 19 janvier 1948. Un bienheureux lundi, après tant de semaines, de mois, d'années de blocage. Ce fut un succès. Peu après Patricia épousait Pierre Matisse.

Parmi les œuvres choisies pour figurer à son exposition, Pierre Matisse désirait aussi un *Buste de Picasso*, phénix pour les Américains. D'autant que la première présentation mondiale des œuvres récentes de Picasso lui donnait la une des journaux. Mais c'était mal connaître Alberto, sa délicatesse et son orgueil. Il écarta le buste vedette qu'il avait réalisé. Aucune facilité ne pouvait interférer avec son destin, la mise au jour tant différée de son travail. Non, aucune identité postiche, la plus glorieuse fût-elle.

Les deux importants tableaux de 1937, *Portrait de la mère de l'artiste* et *Pomme sur un buffet* furent aussi programmés, avec un certain nombre de dessins.

L'été 1947, la dernière manifestation du mouvement surréaliste eut lieu dans la galerie qu'Aimé et Marguerite Maeght venaient d'inaugurer rive droite. L'avenir était en marche.

L'inconnu merveilleux ou la revalorisation

« Il faut valoriser... » Combien de fois ai-je entendu Diego me le dire, à propos d'une feuille ou d'un oiseau de ses propres sculptures, ou d'une corde de bronze... Il était toujours si économe de mots, Diego, que je ne saisis pas dans cette formule la reviviscence, la résurrection, de la parole d'Alberto. Et son unique transcendance.

La tyrannie de l'échec n'inhibe plus Alberto. Infatigable, il travaille la nuit. Le vaste pied de ses figures s'enracine, l'élévation de la petite tête se serre sur son « énergie formidable ». Ses hommes marchent : *Homme qui marche, Homme traversant une place par un matin ensoleillé*, autant de chefs-d'œuvre nous étreignent. La verticalité, l'élan se dressent dans son élongation. *Homme qui marche sous la pluie...* Sa mimésis, sa genèse le conduisent à des compositions : *Personnages dans une rue, Personnages pour une place, La Place II (quatre hommes et une femme)*. La femme se tient toujours immobile, bras confondus, collés à son corps.

Les pieds de la fatalité ont eu raison du vertige de la taille. Son peuple naît. « Les gens dans la rue, qui vont et qui viennent – un peu comme les fourmis, chacun a l'air d'aller pour soi, tout seul, dans une direction que les autres ignorent. Ils se croisent, ils se passent à côté, non ? sans se voir, sans se regarder. Ou alors ils tournent autour d'une femme. Une femme immobile et quatre hommes qui marchent plus ou moins par rapport à la femme. Je m'étais rendu compte que *je ne peux jamais faire qu'une femme immobile et un homme qui marche. Une femme, je la fais immobile et l'homme je le fais toujours marchant.* »

Dans la médina de Fès, il est une rue étroite, si étroite que les ânes chargés d'herbes odorantes ne peuvent s'engager. Les terrasses de chaque côté se chevauchent presque. Seul le voile d'une femme peut y prendre le vent. Cette rue de son enfance, « la rue d'un seul », Tahar

Ben Jelloun en fait un ex-voto à Giacometti, à ses statues si minces qu'elles seules pourraient y marcher. Dans la médina de Marrakech, le métro ou le train, les labyrinthes de nos villes et de nos faciès, les passants d'infini d'Alberto et ses passantes sans merci, immobiles, peuvent prendre le large. Le pont miraculeux unit la rue d'un seul et le territoire de tous, tant il est vrai qu'Alberto signe l'âme. Séparée des faux-semblants du monde.

L'intimité d'Alberto transparaît tout entière et il nous la livre, dans ces sculptures si reconnaissables et fraternelles. Il érige les sentinelles de notre condition humaine. On dira bientôt, dans le langage courant, « un Giacometti ». La piste biographique ne nous lâche pas et obéit au commandement suprême de Zarathoustra : « Il faut encore porter du chaos en soi pour pouvoir donner naissance à une étoile dansante. »

En cet hiver 1948, mère et fils se rendirent ensemble à Berne : une exposition de l'École de Paris présentait six sculptures d'Alberto, auprès d'autres de Pevsner, Laurens, Arp. Tatillon jusqu'à l'obsession, Giacometti ne laissait à personne le soin de décider de la présentation de ses œuvres, mais on le vit obéir comme un enfant aux suggestions d'Annetta, à la surprise générale et à celle d'un observateur passionné, Eberhardt Kornfeld, qui allait devenir son collectionneur, son marchand et son ami. « Il faut la mettre là », indiquait Annetta, et Alberto obtempérait sans l'ombre d'une hésitation.

Au printemps, l'atelier voisin du sien, rue Hippolyte-Maindron, se libéra et il saisit l'occasion de pouvoir dormir à côté de son lieu de travail. Toujours des toilettes communes, primitives, de l'autre côté du passage, l'évier dans la chambre avec de l'eau courante froide et un poêle à bois. Les repas n'embarrasseraient guère Annette... La brasserie des Tamaris, rue d'Alésia, accueillait le couple et Diego. Alberto dessinait fiévreusement sur les nappes de papier envolées avec les cafés.

Bien souvent, Annette dînait seule. Alberto rejoignait Montparnasse, courir la prétentaine. Elle avait de l'endurance, la petite de Grand Saconnex, son faubourg de Genève.

À l'hôpital Boucicaut l'ami Gruber se mourait de tuberculose. Diego l'entoura journellement jusqu'aux derniers instants. Il avait trente-six ans. Son enterrement fut célébré dans son village, et les deux frères Giacometti, en larmes, accompagnèrent sa dépouille dans la modeste église de campagne.

Alberto noue une nouvelle amitié, insolite, avec le jeune poète Olivier Larronde. Beau comme un dieu, Larronde reste hanté par le suicide, à quatorze ans, de sa sœur Myriam. Bientôt, Jean-Pierre Lacloche, le frère de François, qui devient le favori du milliardaire marquis de Cuevas, tombe éperdument amoureux de lui. Le couple d'amants prend possession d'un vaste appartement décadent, peuplé de brocarts et de peaux de tigres, de singes vivants et d'un aquarium de scorpions venimeux. L'opium mêle ses effluves aux sofas profonds, où Olivier récite les vers de son maître, Stéphane Mallarmé. À vingt et un ans, il publie en 1948 *Les Barricades mystérieuses*, et dix ans plus tard, son recueil *Rien voilà l'ordre* verra le jour avec une série de dessins de Giacometti.

Isabel, vite débarrassée de Leibowitz, a épousé à Londres Constant Lambert, le compagnon des années de guerre. Souvent de passage à Paris, elle persiste à rire et boire, au café où elle retrouve Alberto et Balthus. La vie nocturne d'Alberto se poursuit comme par le passé.

Pourtant, la « petite », l'air de rien, devient Annette : Alberto commence à la faire poser pour lui. La pose demeure implacable, les séances s'allongent de plus en plus... Annette va lâcher son secrétariat auprès de Georges Sadoul, pour enfin vivre sa vie. Son prénom, si proche de celui de la mère bien-aimée, l'irremplaçable Annetta, la maîtresse-femme, retentit entre les deux frères et voltige, sans son a, comme si on lui avait coupé l'aile. Les photographies rendent la grâce d'Annette, sa modestie, son sourire. Elle s'habille aussi simplement qu'elle était arrivée, en jupe et chemisier, et chaussures plates. Une photographie la montre, son petit porte-monnaie à la main, entre les deux frères. Mais Diego n'aimera jamais les femmes de son frère. D'Annette il me dira, bien des années plus tard : « Elle n'était même pas bonne à balayer la cour. »

Simone de Beauvoir, écrivant à son amour transatlantique, le romancier américain Nelson Algren, décrit l'intimité d'Annette, chez Alberto : « Hier, j'ai visité sa maison, elle est à faire peur. Dans un charmant petit jardin oublié, il a un atelier submergé de plâtre, et il vit à côté dans une sorte de hangar vaste et froid dépourvu de meubles comme de provisions, des murs nus et un plafond. Comme il y a des trous dans le plafond, il a disposé sur le plancher, pour recueillir la pluie, des pots et des boîtes eux-mêmes percés ! Il s'acharne des quinze heures de suite, surtout la nuit, et ne sort jamais sans que ses vêtements, ses mains et sa riche et crasseuse chevelure soient couverts de plâtre ; le froid, ses mains gelées, il s'en fiche, il travaille. J'admire sa très jeune femme d'accepter cette vie ; après sa journée de secrétaire, elle trouve au retour ce logis désespérant, elle n'a pas de manteau d'hiver et porte des chaussures usées. »

Mardi 19 juillet 1949 : Alberto se marie

Alberto avait-il assez vitupéré contre le mariage ? Diego n'en était toujours pas revenu. « Elle a dû le travailler au corps », maugréait-il. Même pas. Annette était devenue son modèle, et l'amener chez la mère sans l'avoir épousée n'était pas pensable.

Ce matin-là, Alberto dut se lever tôt. Jean Leymarie, l'ami de toujours, le croisa dans la rue : « Ce que tu es bien sapé ! s'extasia-t-il. – C'est que… je me marie. – Tu te maries ? repartit Leymarie interloqué. – J'épouse la petite… Oh, mais ça ne change rien à ma vie. Rrrrien. »

Le contrat, qu'Alberto voulait joindre au document de mariage, resta en rade. Diego et la concierge Renée Alexis furent les témoins à la mairie voisine du XIVe arrondissement. La formalité accomplie, ils déjeunèrent à leur brasserie, les Tamaris. Puis Alberto rentra se coucher.

Il allait dormir tranquillement et pourrait rejoindre la maison familiale sans souci. L'été venait, et son séjour à Maloja, chez la mère. Se séparer de son nouveau modèle n'entrait plus en ligne de compte. L'obstacle était franchi.

Un mariage de papier pesait peu dans la balance… La toile attendait. Les plus beaux portraits de femme allaient naître, Annette transmuée en destinée, nouvelle venue inséparable de la Chaldée, du Fayoum et de Byzance, en même temps qu'une ressemblance brûlante prenait place. *Annette à Stampa* va venir au monde...

« L'art, ce n'est qu'un moyen de voir », l'a-t-il assez répété.

« Quoi que je regarde, tout me dépasse et m'étonne, et je ne sais pas exactement ce que je vois. C'est trop complexe. Alors, il faut essayer de copier simplement, pour se rendre un peu compte de ce qu'on voit. C'est comme si la réalité était continuellement derrière les rideaux qu'on arrache... Il y en a encore une autre... Toujours une autre. »

Rideaux de l'enfance. Les missiles ont traversé, aussi puissants, après de longs détours et d'incoercibles retours. Annette, Annetta. Non, la mère n'a rien à craindre de cette femme-enfant qu'Alberto traite en gamine et appelle « ma Zozotte ». Étranges épousailles de son fils, son génie solitaire. Il lui appartient. Il lui appartiendra toujours.

Les exorcismes

Pierre Matisse était revenu à l'atelier rue Hippolyte-Maindron au début de 1947. Il ne s'était pas trompé quand il avait choisi chez Alberto, à l'automne 1936, dix ans plus tôt, sa *Femme qui marche* en plâtre. Mais il était devenu depuis 1935 le représentant à New York de Miró, Tanguy, Balthus, tous les amis d'Alberto, sans qu'il se prononce davantage à l'égard de ce dernier.

Repassant par Paris et l'atelier d'Alberto où foisonnaient les naines, il se borna dédaigneusement à lui intimer de faire des sculptures plus grandes, puis il s'en alla.

Depuis dix ans Alberto n'avait pratiquement plus exposé. Jeanne Bucher était morte, Pierre Loeb un peu passé de mode, et Pierre Colle, le marchand de sa première exposition personnelle, mourut avant d'embarquer pour l'Amérique. Un jeune admirateur de Giacometti, Clayeux, devenu l'assistant de Louis Carré, ne put convaincre ce dernier. Seules les valeurs reconnues l'intéressaient. Qui restait-il ? Kahnweiler, le marchand de Picasso, n'avait jamais prêté attention à Alberto.

Mais Patricia Matta, dont le mariage battait de l'aile, vouait une admiration passionnée à la sculpture d'Alberto, qu'elle ne cessait de photographier. Pierre Matisse, tombé amoureux d'elle, allait devenir son second mari. Sur ses instances, il revint à l'atelier au début de 1947 et fut littéralement conquis par les nouvelles œuvres, hautes et sveltes. Un accord verbal fut conclu.

L'année 1947 allait être pour Alberto d'une miraculeuse fécondité. À l'évidence, il avait franchi un seuil. 1949, 1950 feraient déferler les bronzes et les portraits peints : Annette, la mère, Diego. Sans relâche, Alberto imposait son emprise, sa marque indélébile. À faire fuir le commun des mortels, avant de devenir immortel.

Aragon usa de son influence pour que soit passée à Alberto une commande de la mairie du XIXe arrondissement, où la statue de Jean Macé avait été mise à bas de son piédestal. En pure perte. Alberto composa un chef-d'œuvre, la figure féminine tant chérie, à grands pieds et haute taille, le corps svelte, à laquelle il donna – innovation spectaculaire – deux longs bras, arachnéens, détachés du corps. Cette femme-déesse tenant en équilibre sur un chariot n'était autre que la survivante du montage sur petites roues de 1943, cette fois soutenue par une plateforme à grandes roues : *Le Chariot*. Délicate, hiératique et nue, elle abasourdit les ilotes et les nigauds de l'arrondissement municipal, qui envoya promener le sculpteur et son *Chariot*. Il allait prendre place, et quelle place, dans la seconde exposition d'Alberto, en novembre 1950, à la galerie Pierre Matisse de New York. « *Le Chariot* pourrait aussi s'appeler *Le Chariot de pharmacie*, car cette sculpture provient du chariot tout clinquant qu'on promenait dans les salles de l'hôpital Bichat en 1938 et dont j'étais émerveillé. » La vision, on s'en souvient, avait eu lieu à la clinique Rémy-de-Gourmont où il avait été transporté, avec son pied broyé, par les bons soins de Diego. L'écrivain américain James Lord remarque à juste titre que l'araignée désigne, en français, un véhicule métallique de course à deux roues réduit à son châssis et transportant une personne. « *Le Chariot*, écrit-il, comme un rêve, se meut sur lui-même. »

Il traverse les années, et Leiris le fait revenir, depuis la première vision : « Étincelant chariot à fioles et pansements de l'hôpital Bichat apparu en 1938 aux yeux émerveillés de l'homme au pied cassé et reparu douze ans plus tard quand le sculpteur eut besoin de deux roues pour isoler du sol une effigie et la douer fictivement d'une capacité motrice malgré son absence de mouvement. Perchée, au-dessus de l'axe de l'élément du véhicule (lui-même monté sur cales), la femme ne touche plus terre et c'est en elle que prend corps l'émer-veillement face au chariot qui circulait entre les lits. » Le souvenir de l'émotion soudaine est enfin rendu à desti-nation : il a pris corps dans la nuée ardente du temps et Alberto façonne, érige, sauve ses femmes qui ne touchent plus terre, mais si mystérieusement s'enracinent.

Sa rapacité est intacte. « C'est toujours sans canne ni béquille que ses sculptures se tiennent », observe Leiris. « Sous la couronne de cheveux crépus un rire de canni-bale, souvent, découvre la dentition. Personnage d'une *commedia dell'arte* remontant si l'on veut aux Étrusques et dans laquelle Arlequin féticheur s'affronterait avec Polichinelle mangeur d'enfants ; ou bien un loup-garou, si l'on veut à tout prix le rapprochement d'un animal (il est vrai, sujet à des transformations singulières). »

Dans sa beauté rude, broussailleuse, Alberto peint, trépigne, maudit les pinceaux et surtout lui-même. Il est à la recherche d'un signe inconnu.

« Pour moi, la réalité reste exactement aussi *vierge et inconnue que la première fois qu'on a essayé de la représenter.* » La série des grands bronzes commencés en 1947 lui a valu sa première reconnaissance publique, mais l'échec le tient en cage. La fièvre des bronzes ne le cède en rien à celle des portraits.

Tériade, l'ami grec né Efstratios Eleftheriades, dont le prénom renvoie à la triade des archanges et le patronyme Eleftheria signifie « liberté », vole de ses propres ailes depuis son île de Lesbos. Il a fait ses premières armes avec son compatriote et son aîné Zervos, aux *Cahiers d'art*, puis assumé la page artistique de *L'Intransigeant* et fonde avec Skira *Minotaure*, aux couvertures emblématiques. Le titre, trouvé par Masson, désigne le monstre hybride de la Grèce. Tériade, dans son étude *La Peau de la peinture*, écrit : « La peinture n'a que sa peau, une peau qui ne la couvre pas, comme elle voudrait le faire croire, mais une peau qui la fait elle-même entièrement. La peau de la peinture a la valeur d'une peau humaine... Au moment où la peinture touche le point le plus aigu et le plus juste de son expression, elle devient du même coup mystérieuse comme une chose naturelle. » Ces mots fervents pourraient servir de frontispice à la peinture d'Alberto.

Alberto aime l'Arcadien Tériade, resté l'amoureux des vergers de Lesbos ou de Crète, et des bouquets de mains du figuier. Chanel, très liée au poète Reverdy, défenseur de Tériade, lui fait rencontrer quand il quitte *Minotaure* le gestionnaire des magazines américains *Esquire* et *Coronet*. Il va lui laisser carte blanche et Tériade fonder la fameuse revue artistique *Verve*.

Tériade recommence un véritable voyage d'Ulysse et les numéros de *Verve* s'embrasent de signatures célèbres, chacun dédié à un seul peintre – Bonnard, Braque, Matisse, Picasso, Chagall. Les plus grands photographes, Man Ray, Brassaï, Cartier-Bresson et Élie Lotar y rivalisent. Georges Bataille, né la même année que Tériade et exclu du *Minotaure* par le fanatisme de Breton, y publie des textes fulgurants, Michaux son *Portrait du Chinois* et *Idoles*.

Le portrait par Alberto de son ami Tériade le montre assis, attentif, genoux croisés. Son huile sur toile, contemporaine des dessins de Sartre, de Pierre Loeb, de Diego bien sûr, va précéder les étonnants portraits d'*Annette à Stampa* et de *La Mère de l'artiste*, en 1950.

171

L'une et l'autre, aussi prodigieuses de jeunesse et d'éclosion, jambes croisées sur le même siège, dans la même pièce au grand tapis rouge, devant la porte de la même chambre à coucher : la chambre à coucher des parents, devenue celle d'Alberto.

Les énigmes auxquelles il se mesure, dans le visage humain, font songer à la naissance du jour, après la nuit tant redoutée d'Alberto. L'érotisme de Bataille n'est pas étranger à sa quête : « Ce qui apparaît à travers la fente c'est le bleu du ciel dont la profondeur impossible nous appelle et nous refuse aussi vertigineusement que notre vie appelle et refuse la mort. »

Le portrait de Pierre Loeb, son marchand des années surréalistes, Alberto le dessine à l'étage de sa galerie, là même où Antonin Artaud a écrit son *Van Gogh, le suicidé de la société*, avant de mourir. Loeb, grand collectionneur d'art océanien et africain, est assis au milieu de ces œuvres qu'Alberto restitue, chacune devenant un Giacometti : crochet à crânes sepik, masque faîtage de Nouvelle-Calédonie, visage à nez proéminent, enfin l'*Autoportrait* d'Artaud halluciné.

Il lui fait face, il lui fait mal, cet *Autoportrait*, fraternel. Artaud appartient à la famille héroïque des artistes, dont il disait, devant la fatalité, « L'artiste est un athlète affectif ». L'auteur de l'*Ombilic des Limbes*, du *Pèse-Nerfs*, s'était détaché lui aussi du Surréalisme, exclu bien avant Alberto. « Est-ce qu'Artaud se fout de la révolution ? lui fut-il demandé. – Je me fous de la vôtre, répondit-il, pas de la mienne », en quittant le Surréalisme, devenu à ses yeux un parti. Ni les « sorts » qu'il lança depuis ses asiles, ni ses «filles de cœur» ne le sauvèrent de la redoutable machine à électrochocs, avec sa coupe de verre pour les vomissements du malade. Ni son incantation de voyant maléfique : «Dans le monde où je suis il n'y a ni dessus ni dessous : il y a la Vérité qui est horriblement cruelle, c'est tout.» Les démons persécuteurs, les vampires subjuguent son «rapace besoin d'envol», dans lequel Blanchot voit la cruelle raison poétique. Il en mourra, à l'asile.

Les figures océaniennes colorées, les momies en couleur des Nouvelles-Hébrides avec leurs crânes surmodelés, marionnettes et dieux de fougère, casques d'initiation habillés de toiles d'araignées, fascinent Alberto, toujours épris de ressemblance. Le vivant arraché à la mort, le surgissement du regard, Alberto les a copiés religieusement dans les masques moaï de l'île de Pâques aux yeux larges, exorbités. Les grands yeux d'Annette, de Diego, illuminent leur deuxième vie, celle que leur donne Alberto : «C'est la tête qui est l'essentiel. Le reste du corps est réduit à l'état d'antennes.»

On songe à ces figures sises sur le bord du tabouret rituel. C'est bien de sa cérémonie secrète qu'il s'agit, pour reprendre à Losey le titre troublant de son film. Alberto dénude l'apparence et s'y consacre, fait de chaque portrait le porteur de cet inconnu tant aimé.

«Jamais je n'arriverai à mettre dans un portrait toute la force qu'il y a dans une tête. Le seul fait de vivre ça exige déjà une telle volonté et une telle énergie...» Il reproche à Picasso son terrorisme de savoir toujours où il va. Lui, face à ce qu'il voit, se sent désarmé, avec son vieux canif et sa glaise. «Je vois une chose, je la trouve merveilleuse, j'ai envie de la faire. Que ça rate, que ça réussisse, après tout ça devient secondaire, moi, j'avance de toute manière. » L'émanation, seule, compte, cette profondeur dont la photographie n'a cure... Il tâtonne. « Le réalisme, c'est de la foutaise, affirme-t-il. Je cherche la ressemblance absolue et non l'apparence. »

Bacon, dans l'arène du portrait, étripe la chair. « Nous vivons, dit-il, presque constamment à travers des écrans – une existence derrière des écrans, la *screened existence*. Et je pense parfois, quand on me dit que mes œuvres sont violentes, que j'ai été capable, de temps en temps, de lever un ou deux de ces voiles ou de ces écrans. »

Isabel se lie d'amitié avec Francis Bacon. Devenue veuve, elle boit toujours autant et peint à l'occasion des oiseaux morts ou des légumes secs. Elle épouse un compositeur obscur, Alan Rawsthorne, et Bacon va peindre un nombre impressionnant de portraits d'elle, sous son nouveau nom. La virtuosité de Bacon la fascine, et aussi cette désintégration, cette dissolution. Son alcoolisme fait d'Isabel une proie, plus très fraîche. Bacon aimait à dire, dans un rire irrépressible : « Je sers le champagne à mes vrais amis. Aux faux, je sers de la vraie souffrance. »

Alberto et Diego s'entendent bien avec Bacon. Alberto déclare souvent que mis à côté de ses tableaux, les siens ont l'air d'avoir été peints par une vieille fille...

La mousson

La terrible et arachnéenne *Femme assise* d'Alberto, de 1946, pourrait davantage se rapprocher des monstrueuses araignées sculptées par Louise Bourgeois qu'annoncer la floraison à venir. Une mousson mystérieuse lève dans l'espace d'Alberto.

« J'ai toujours l'impression ou le sentiment de la fragilité des êtres vivants, comme s'il fallait une énergie formidable pour qu'ils puissent tenir debout. » Femmes fragiles et indomptables, avec « leur air à la fois doux et dur d'éternité qui passe », selon la merveilleuse vision de Genet. *Femme debout, Homme qui marche, Homme qui chavire, Figurine enfermée, la Cage, Composition avec trois figures et une tête* nous reconduisent littéralement dans l'atelier. « Quelques jours après, en regardant les autres figures qui, pour débarrasser la table, avaient été placées au hasard par terre, je m'aperçus qu'elles formaient deux groupes qui me semblaient correspondre à ce que je cherchais. Je montai les deux groupes sur des bases, sans le moindre changement, et si ensuite j'ai travaillé aux figures, je n'ai jamais modifié ni leur place, ni leur dimension. » On sait quelle dramaturgie provocante l'une et l'autre – la place, la dimension – ont déchaîné, chez Alberto, annihilant ses forces vives. C'est dire si une véritable mousson souffle. *La Clairière* et *La Forêt* voient le jour. Fallait-il qu'il les portât en lui, depuis les blocs de gneiss et les arbres de son enfance qui lui semblaient toujours des personnages immobilisés dans leur marche et se parlant...

« À ma surprise, la *Composition aux neuf figures* me semblait réaliser l'impression éprouvée l'automne précédent à la vue d'une clairière (c'était plutôt un pré un peu sauvage, avec des arbres et des arbustes, à la lisière de la forêt) qui m'attirait beaucoup. J'aurais voulu le peindre, en faire quelque chose, et je partis avec le regret de la perdre. »

Secret du hasard qui renoue avec la perception inoubliable, ineffaçable. « La *Composition sept figures et une tête* me rappela un coin de forêt vu pendant de nombreuses années de mon enfance... »

« Les statues de Giacometti plus grandes dans la cour de la maison ou dans la rue que dans son atelier (encombré de débris de plâtre qui ont longtemps menacé d'envahir la petite pièce où il dormait malgré le froid et la pluie)... C'est à l'air libre qu'on juge de la mesure humaine », observe Leiris. Alberto façonne, façonne, à sa grandeur naturelle, jamais à celle de la toise.

« Le socle de la figurine blanche seule est pour moi une barque. » Barque funéraire égyptienne, ou de son rituel à lui ? « *L'Homme qui marche* c'est par une matinée de soleil sur une place, l'autre sur le socle suspendu de l'année passée c'est sur une route sous la pluie et c'était moi, pas celui de la place. »

Un autre hasard va se saisir de l'épopée humaine en train de naître sur le limon fertile de l'atelier : la rencontre avec les Maeght. Mais qui donc étaient les Maeght, apparus en 1947 dans leur galerie de la rive droite ? Aimé avait une formation de lithographe et de graveur, du goût pour les arts, et avait ouvert à Cannes avec sa femme Marguerite, dite Guiguite, fille d'épiciers florissants, un petit commerce d'appareillage électrique.

Un vieil homme timide, aux lunettes cerclées de métal, entra un jour et admira une lithographie : c'était Bonnard. Il avait besoin d'un concours technique et Aimé devint son familier.

176

La maison des parents de Guiguite regorgeait de « provisions », rares dans l'après-guerre et Aimé se mit à ravitailler Bonnard, contre quelques-unes de ses toiles qui s'entassaient sur les murs. Il en alla de même avec le vieux Matisse, le voisin de Vence, que les bonnes choses ravirent.

Aimé Maeght, suivant les conseils de Bonnard, se consacre à son nouveau métier : marchand de tableaux... Il rencontre Jean Moulin, dont la galerie masque les activités de résistant, et préfère quitter Cannes quand Moulin est arrêté, l'été 43, pour s'installer à Vence. Dans une lettre à Georges Rouault, son identité se dévoile : « J'ai 40 ans. Lorsque j'étais jeune, je voulais être peintre. Mon père, tué à la guerre de 1914, a laissé ma mère veuve avec cinq enfants, dont j'étais l'aîné (12 ans). J'ai poursuivi mes études jusqu'à 20 ans grâce à des bons gagnés en concourant (au lycée, je suis resté cinq années consécutives premier de ma promotion). J'ai essayé de gagner ma vie en étant dessinateur lithographe et ainsi le soir pouvoir peindre. » Sa tentative sera vaine. Les quelques toiles qu'il présente à des marchands soulèvent sarcasmes, ou, encore plus pénible, l'indifférence. Son humiliation révèle l'essence même du personnage qu'il va devenir, éditeur et galeriste forcenés. L'ouverture de sa galerie à Paris, rue de Téhéran, en 45, avec des dessins récents de Matisse, initie le tourbillon. Sa folie des grandeurs ne sera jamais assez puissante pour balayer la déception de sa jeunesse ni étancher sa soif d'être reconnu.

Clayeux avait servi d'assistant à Louis Carré, auquel il avait fait vainement visiter l'atelier d'Alberto Giacometti.

Quand Aimé Maeght lui offrit de devenir son directeur artistique, il se rendit avec le marchand chez Alberto. Déjà il avait mis dans le fonds de commerce de son nouvel employeur Miró, Braque, Calder, Kandinsky et Chagall.

Les deux hommes furent éblouis par la moisson des sculptures, presque toutes des plâtres. Une moitié de la production de l'artiste irait à Maeght, l'autre à Pierre Matisse. Ce dernier, avare, était réticent à payer le coulage en bronze, et quand Alberto voulut savoir de combien de sculptures Maeght financerait la fonte, il répondit « De toutes ». Alberto fut émerveillé : il avait rencontré son Médicis.

Trente-sept sculptures attendaient d'aller à la fonderie. Diego fut éberlué. L'argent allait faire son entrée, pour la première fois dans leur vie… Non qu'il changeât quoi que ce soit au rythme ascétique de leur travail. Le couple Alberto Diego s'y retrouvait, et les racines jansénistes de leur éducation ne s'en entremêlaient que mieux. Mais la dèche, la galère, les emprunts étaient derrière eux.

Alberto, désintéressé entre tous, ne songe qu'à l'expansion de son œuvre. L'excitation d'Annette, l'ancienne adolescente du Grand Saconnex, ne connaît plus de limites. Diego tout content ne dit rien. Ils allèrent dîner tous les trois, après la promesse de Maeght.

La belle histoire d'amour de Diego avait capoté. Nelly passait de plus en plus de nuits à Montparnasse, et dormait le jour. Lui devait arriver à l'atelier pour son travail au petit matin. Puis elle quitta sa vie aussi discrètement qu'elle y était entrée.

Deux anciens camarades de collège de Schiers organi-sèrent une exposition à Bâle, au printemps 1950, et Alberto leur proposa d'inviter Masson avec lui. Le jeune Ernst Beyeler fut bouleversé de découvrir ses premiers Giacometti. Il allait devenir son plus fervent marchand.

L'invitation française d'exposer à la Biennale, auprès de Laurens, son cher Laurens, enchanta Alberto. Mais en arrivant à Venise, au pavillon français, il vit les sculp-tures de Laurens reléguées à l'arrière, pour promouvoir celles de Zadkine. Indigné, il quitta Venise.

En novembre 1950, sa seconde exposition à New York chez Pierre Matisse fut enlevée... L'Amérique avait consacré Alberto.

Diego

Seul Diego pouvait façonner, avec des cordes à piano, la fragile armature des figurines d'Alberto. Le moulage des plâtres, la patine des bronzes, les montages sur socles, il assumait tout. Alberto entrait en fureur si un détail lui déplaisait et portait une attention méticuleuse à ses ordonnancements. Souvent, il ajoutait une touche de peinture à ses plâtres.

C'est au début des années 1950 que Diego commença à composer les meubles en bronze patiné de sa célébrité. Tables basses étrusques, chaises à croisillons, fauteuils aux pommeaux de canne, puis à accoudoirs tête de lion, consoles et pieds de lampes, lampadaires, appliques vont se succéder, composer une œuvre unique, signée d'un simple *Diego*, ou frappée d'un triangle double.

Car ils sont deux, les frères, en miroir et pourtant si différents. Comment s'étonner de la forme des pieds des *Fauteuils aux embouts de canne*, si semblables aux embouts de caoutchouc des béquilles ? La canne d'Alberto résonne pour Diego comme un battement de cœur, qui a martelé sa vie.

On songe à la canne reçue en cadeau par Antonin Artaud, « couverte de nœuds et hérissée de pointes », selon Roger Blin, fétiche qu'il fit ferrer pour que des étincelles en jaillissent, épée d'effervescence.

Les collectionneurs vont s'emparer des productions de Diego, encore confidentielles. Plus de Jean-Michel Frank, le « gentleman cambriolé » de Cocteau, le dandy triste de l'Art Déco et l'ami fervent, pour patronner ses nouveaux débuts. Mais le bouche-à-oreille décèle son génie. L'humble miracle du mobilier tant chéri de l'enfance à Stampa renaît.

Meubles indestructibles, comme Diego le fut lui-même pour Alberto. Lui seul sait combien son aîné est menacé par le doute permanent, son insoutenable fragilité. Et pourtant la modestie primitive de Diego laisse sans voix… Un étranger le croisant dans le passage rue Hippolyte-Maindron lui demanda s'il était Monsieur Giacometti. « Non, répondit Diego, vous le trouverez au café qui fait le coin de la rue Didot. »

Le milliardaire américain de Pittsburgh, David Thompson, collectionneur acharné depuis l'achat de ses premiers Giacometti chez Pierre Matisse, arrive un jour avec son interprète allemande à l'atelier où Diego se trouvait seul : il l'étreint fiévreusement, lui mettant au cou une écharpe de cashmere, le ravitaille d'une cartouche de Camel, en bafouillant sa joie du grand honneur de sa rencontre. À peine l'interprète allemande lui eut signifié qu'il y avait erreur sur la personne, son boniment s'arrêta net, et il lui arracha l'écharpe et la cartouche de cigarettes. Plus jamais ce triste sire, souvent en visite à l'atelier pour sa collectionnite, ne salua Diego.

Le portrait brutal qu'Alberto fera du magnat, frontal, en manches de chemise, le visage dur, les mains écartées sur les cuisses massives, des cuisses de tueur de bœufs, parle : « Regardez ces mains énormes, s'exclamait Alberto. Vous pouvez les voir en train de ratisser l'argent. Des mains faites pour rafler le pognon ! » Jamais Alberto ne serait dupe de qui ne respectait pas Diego.

Le hasard Maeght fit coup double, car Guiguite allait devenir une sorte d'égérie pour Diego. Elle commença à lui passer commande sur commande, et Diego lui composa jusqu'à sa coiffeuse, son tabouret, son miroir et son porte colliers. Il adorait être reconnu et gagner son propre argent. Je revois son petit calepin dans lequel il notait ses instructions de travail, de sa jolie écriture, et le calendrier allait devenir celui de l'attente pour les amateurs, toujours plus nombreux, de son œuvre.

La première exposition d'Alberto ouvrit l'été 1951, à la galerie Maeght, révélation pour Paris de ses quarante sculptures, de sa vingtaine de tableaux et de nombre de dessins. Sa routine nocturne conduisait Alberto Chez Adrien, où de nombreuses prostituées animaient le bar aux colonnes torsadées avant d'entraîner le client dans un petit hôtel obscur, dont Montparnasse regorgeait. Les filles l'appelaient par son prénom, et le barman noir lui donnait du « Monsieur Albert ». Souvent, il retournait à l'atelier, où Diego le trouvait blême, épuisé de ses cigarettes de nuit, ses mains pétrissant l'argile, à l'aube. Diego s'indignait. « Va te coucher. » Il était le seul à veiller sur lui.

La situation financière de Beckett, catastrophique, accentuait encore son allure de loup solitaire. « Les histoires de succès ne m'intéressent pas, c'est l'échec qui m'intéresse », revendiquait l'écrivain. Il dormait le jour, travaillait la nuit, puis errait… Alberto et lui étaient faits pour s'entendre.

Clayeux devenait un ami proche. Les prix montaient. Alberto aimait se plaindre d'avoir été exploité. « C'est ta faute », lui reprochait Clayeux. Alberto, toujours sadique avec lui-même, ne l'en aimait que plus.

Cet été-là, Stampa fit festin. Annetta était si fière que son fils bien-aimé atteigne enfin la reconnaissance. « Peintre ou sculpteur », avait-il répondu à son père, quand Giovanni l'avait interrogé sur son avenir. Désormais, il était les deux.

Sur le chemin du retour, Alberto s'arrêta avec Annette chez Tériade, dans la villa Natacha, à Saint-Jean-Cap-Ferrat, maisonnette 1900 avec sa tonnelle croulant sous les glycines. Tériade a rencontré Alice, et après avoir loué la villa il l'achèterait. Micocouliers, kakis et arbres de Judée, orangers et citronniers, palmiers rayonnent dans la lavande, avec le troène, l'araucaria et le yucca. La ferveur égéenne de Tériade se repaît de sa mère Méditerranée. Il ne peut oublier son enfance près de Mytilène, dans la maison champêtre de Varia, parmi les oliviers, où un ânier le conduisait à l'école. Les grenades, les fruits solaires ne peuvent s'éteindre dans l'effervescence grise de Montparnasse.

Novembre était venu et Alberto fut dans un tel état d'excitation devant la profusion des fleurs qu'il voulait toutes les dessiner, mais il lui fallait renoncer à sa frénésie, car il devait aller voir Matisse père, puis Picasso. Ce dernier vivait avec sa jeune compagne Françoise Gilot et leurs deux enfants, à Vallauris. Alité par un lombago, il se révéla d'une humeur détestable, se plaignant qu'Alberto l'abandonne et réclamant qu'il séjourne à Vallauris. Annette n'avait qu'à descendre à l'hôtel et Tériade aller chercher sa valise.

Son caprice arrogant n'eut aucun succès. Alberto allait s'éloigner du maestro, dont les exigences narcissiques bafouaient son alter ego. Alberto ne lui pardonnait pas son silence de mort lorsque arrivé à l'improviste, comme il faisait toujours, à l'atelier rue Hippolyte-Maindron où il était sûr de le trouver – et de le réveiller – vers les midi, il y croisa Zervos, venu sans s'annoncer, avec un collectionneur italien, de Angeli. Pour Alberto, une vente, ça comptait et Zervos entreprit un éloge de l'artiste, en se tournant à plusieurs reprises vers Picasso, dont le concours lui paraissait aller de soi. Il n'en fut rien, et Picasso, ostensiblement, resta muet.

Un jour, Alberto arriva à l'atelier de Raymond Mason : « Je viens chez vous regarder un peu le travail parce qu'à midi, quand je suis rentré du café, il y avait un mot de Picasso glissé sous ma porte : "Suis passé. Reviens l'après-midi." Ça, je ne veux pas, parce que Picasso dans l'atelier ne regarde pas votre travail avec deux yeux mais avec deux appareils photographiques et le lendemain fait la même chose multipliée par dix. »

Villa Natacha, Alberto confectionna pour Tériade la coupe pour les fruits et le plafonnier à trois lampes de sa petite salle à manger à la table de marbre blanc et aux fauteuils de rotin. Matisse inscrivit au pinceau noir sur les deux murs le dessin de l'*Arbre*, éclairé par son vitrail le plus radieux, *Poissons chinois.* Le bonheur était à table.

Encore, toujours

Le rythme binaire des deux frères s'amplifie, sans rien changer aux habitudes nocturnes d'Alberto. Les femmes le fascinent. Promiscuité et séparation le conduisent, et l'effroi demeure. Enfermer sa sculpture dans une cage, ou la monter sur socle lui permet désormais l'érection merveilleuse de ses figurines. Quand on songe aux misérables vestiges, trop frêles pour survivre, qui s'échappaient de ses mains, à Genève, sans Diégo, elles en deviennent encore plus saisissantes. Au Sphinx, vers 1950, *Quatre Femmes sur socle (rue de l'Échaudé)* : ses maisons de passe. « Je les ai vues souvent, surtout un soir, dans une petite pièce de la rue de l'Échaudé, toutes proches et menaçantes. » Comme les Trois Jeunes Filles de Padoue. Grimées. Elles l'attirent mais lui répugnent, et ne lèvent ni l'énigme ni son désarroi. « Des femmes que j'ai vues quelquefois dans la réalité, attrayantes et repoussantes en même temps. »

Des diables jaillissant d'une boîte, dit encore Alberto de ces dames de l'Échaudé. « Si je veux essayer de réaliser une chose qui m'est extérieure, disons une femme, d'après nature, alors là, la question de la taille se présente tout à fait autrement, parce que je ne sais pas ce que je vais faire. » Il sait que la sculpture devient un double, et objet d'adoration. « Les premières sculptures égyptiennes qu'on apporte en Grèce faisaient le mouvement de marcher. Les Grecs les attachaient la nuit pour qu'elles ne s'en aillent pas. Ils croyaient qu'elles pouvaient peut-être prendre vie. »

Il se compare lui-même à ce *Chien*, étonnant, hâve, flairant le sol, plus vivant que nature, son autoportrait. *Le Chat* suit, bronze dégingandé, évocation de la cour et des rues voisines. Chien et chat, pourrait-on dire, si proches de l'espèce humaine et des deux frères. Mais l'animalier reste Diego.

« Le chien en bronze de Giacometti, écrit Genet, est admirable. Il était encore plus beau quand son étrange matière, plâtre, ficelles ou étoupe mêlées, s'effilochait. La courbe, sans articulation marquée et pourtant sensible, de sa patte avant est si belle qu'elle décide à elle seule de la démarche en souplesse du chien. Car il flâne, en flairant, son museau allongé au ras du sol. Il est maigre. » La courbe de nuit, pourrait-on dire, d'Alberto, son errance, son inquisition, hument avec la bête. Genet poursuit : « Comme je m'étonne qu'il y ait un animal, – c'est le seul parmi ses figures –, LUI : – C'est moi. Un jour, je me suis vu dans la rue comme ça. J'étais le chien. » Lui aussi flâne et flaire, son regard lui servant de museau. « Les tours et les tours sur lui-même d'un chien avant de trouver sa place », confiait Cocteau à son Journal, tournant sur lui-même depuis quatre vingt seize heures... Chez Alberto, les tours et les retours duraient des nuits.

Genet voit le plâtre prodigieux du chat : « du museau au bout de la queue, presque horizontal et capable de passer par le trou d'une souris. Son horizontalité rigide restituait parfaitement la forme que garde le chat, même lorsqu'il est *en boule*. »

L'exaltation qu'Alberto met dans son travail vient en droite ligne de son inconscient.

« La ressemblance ? Je ne reconnais plus les gens à force de les voir. » « Vous reconnaissez bien votre frère, tout de même ? lui demande un journaliste.

– Il a posé dix mille fois pour moi : quand il pose, je ne le reconnais plus. J'ai envie de le faire poser pour voir ce que je vois. » Après qu'Annette a posé de longues heures, ils vont ensemble au café. Alberto se met à fixer Annette avec une telle intensité que la jeune femme l'interroge : Pourquoi me regardes-tu comme ça ? – C'est que je ne t'ai pas vue aujourd'hui. »

Plus son modèle est connu, plus il lui devient inconnu. Son obsession du dévoilement exige l'inconnu qui est en lui.

Son horreur des cheveux, tant il est hanté par la tête et le regard, va le conduire à demander à Annette de se raser la chevelure. Horrifiée, sa compagne refuse. Il insiste, met tout son entêtement à la convaincre : elle doit se raser la tête pour lui faire plaisir. Il lui achètera toutes les perruques qu'elle désire. Épuisée, Annette finit par dire : « D'accord, Alberto, d'accord. Si tu veux, je me ferai raser la tête. » Alberto ne la força pas à se tondre.

Souvent, elle avait des crises de larmes. Elle devait poser nue, pendant des heures, surveiller le poêle à charbon, sans broncher. Annette n'était pas aveugle et voyait bien quel train menaient Picasso ou Balthus. Picasso roulait en Hispano-Suiza, Balthus, retiré au château de Chassy, était servi par un maître d'hôtel, tandis que l'adolescente Frédérique, fille d'un premier mariage de la femme de son frère, l'écrivain Pierre Klossowski, lui inspirait de somptueux portraits. Elle, Annette, n'avait droit à rien, même pas à toucher aux enveloppes de billets apportées par Clayeux. Alberto partageait avec Diego, puis les fourrait sous le lit dans une boîte à chaussures.

Il raconta le pourquoi de la chose à Raymond Mason : « Sa mère, ayant compris que son fils commençait à gagner pas mal d'argent, lui avait demandé ce qu'il en faisait. « Je le mets à la banque, maman. » « À la banque ! Il n'en est pas question », répond la vieille femme de la campagne. Dorénavant, il laissait le gros chez son marchand, ou il le gardait chez lui. Il m'a même montré le tonneau dans l'atelier qu'on croyait contenir de la terre glaise, mais qui abritait aussi de l'argent en billets. »

Comme Jean Genet le rapporte : « La chambre, celle d'Annette et la sienne, est parée d'un joli carrelage rouge. Autrefois, le sol était en terre battue. Il pleuvait dans la chambre. C'est la mort dans l'âme qu'il s'est résigné au carrelage. Le plus joli, mais le plus humble qui soit. Il me dit qu'il n'aura jamais d'autre habitation que cet atelier et cette chambre. Si c'était possible, il les voudrait encore plus modestes. »

Jean Genet donna un jour à Annette un coupon de brocart pour se faire une robe. Alberto cloua l'étoffe au mur de leur chambre à coucher.

Alberto fut fasciné quand il rencontra pour la première fois l'écrivain, dans un café... Il rentra surexcité à l'atelier. Jean Genet était chauve, et son crâne bombé et nu le transportait. Sous le dôme du crâne, un nez cassé de boxeur, des yeux de ciel, bleu myosotis. Ainsi le regard, à la fois dense et doux, illuminait le visage. Ni Olivier Larronde, l'ami poète d'Alberto, qui avait été l'amant de Genet, ni Sartre, avec lequel il discutait des heures entières au café, ne les avaient présentés l'un à l'autre. La bouleversante rencontre allait féconder chez Genet un texte prodigieux, *L'Atelier d'Alberto Giacometti*.

La gloire

Henri Matisse avait choisi Alberto pour réaliser le médaillon à son effigie, commandé par les autorités.

Grabataire, il tailladait aux ciseaux dans d'immenses feuilles de papier coloré et composait ses découpages. Mais le vieux peintre, épuisé, dut interrompre les séances de pose. Alberto fut rappelé à Nice, Matisse avait de la peine à respirer, et Alberto sut l'heure capitale : «J'étais en train de dessiner, et j'observais en même temps ce que le dessin ne peut pas saisir.» Cet insaisissable qu'il saisissait mieux que personne.

Laurens, le maître tant aimé d'Alberto, allait mourir. Déjà, Alberto avait rédigé son éloge, promis à Skira pour *Labyrinthe*, et son bouleversement à l'écrire avait été à la mesure de son attachement : « Hier je sanglotais intérieurement de rage devant la déficience totale de mes moyens d'expression, devant ces phrases sans poids, sommaires et ne disant pas du tout ce que je veux. » Quel écrivain pourrait mieux dire ?

Ce même mois de mai 1954, où Laurens va s'éteindre, la deuxième exposition Maeght de l'œuvre d'Alberto – quarante sculptures, vingt tableaux, de nombreux dessins – s'ouvre. C'est la ruée, et la révélation du peintre, à travers les portraits d'Annette et de Diego. Il n'est plus seulement le nouveau Rodin. Sartre publie son essai sur les peintures d'Alberto dans le catalogue. Le *Nu assis dans l'atelier*, celui d'Annette, est un des plus beaux. *Buste aux grands yeux, Diego au manteau, Diego au chandail, Buste de Diego* ravissent l'être au néant. Jacques Dupin, son ami, écrit d'Alberto : « Au café, il dessine sur son journal, son doigt court encore sur le marbre du guéridon, et si sa main est occupée, son œil dessine toujours. Il dessine en marchant dans la rue, il dessine en dormant. Qu'il ne s'arrête pas, cela signifie aussi que Giacometti ne peut nous proposer que l'ébauche d'une entreprise inaccomplie, infinie. Un reflet, une approximation du réel – de ce réel absolu qui le hante – et qu'il poursuit avec une sorte de fureur amoureuse ou homicide. »

Cette fureur homicide n'avait d'égale que la fidélité absolue d'Alberto en amitié. Derain, âgé, fut renversé par un automobiliste et Alberto lui rendit plusieurs fois visite à l'hôpital de Saint-Germain-en-Laye. Il s'affaiblissait, et deux heures avant sa mort à la question – est-ce que vous désirez quelque chose ? – il répondit : « Une bicyclette et un bout de ciel bleu. » Seul le ciel l'attendait.

189

Le portrait de Jean Genet

Les sirènes de la renommée ne détachent pas Alberto de sa tâche invincible. Sa stature devient mondiale. En 1955, des musées étrangers affichent ses trois grandes rétrospectives : New York, le musée Salomon Guggenheim, Londres, la galerie de l'Art's Council, les musées de trois villes importantes de l'Allemagne de l'Ouest.

Sa liaison secrète entre l'inconnu et le beau anime, réanime son alchimie. « Plus je travaille, plus je vois autrement, c'est-à-dire tout grandit jour par jour, au fond, cela devient de plus en plus inconnu, de plus en plus beau. Plus je m'approche, plus cela grandit, plus cela s'éloigne… »

La rencontre entre le fils d'Annetta et Genet, l'enfant de l'Assistance publique, se nourrit du mystère de la solitude et de la gloire. Genet a rejoint Alberto dans son atelier grotte, où les murs gravés et griffonnés de graffiti leur font une catacombe. « Comme ces temps-ci, écrit Genet, les statues sont très hautes, debout devant elles – en glaise brune – ses doigts montent et descendent comme ceux d'un jardinier qui taille ou greffe un rosier grimpant. Les doigts jouent le long de la statue. Et c'est tout l'atelier qui vibre et qui vit. »

L'aura délivre tout de suite à Genet cette région secrète où les choses à leur tour se réfugient, et pas seulement les êtres. « La solitude, comme je l'entends, ne signifie pas condition misérable mais plutôt royauté secrète, incommunicabilité profonde mais connaissance plus ou moins obscure d'une inextinguible singularité. »

Les deux hommes se reconnaissent. C'est de cette singularité qu'Alberto s'empare. Ainsi décrit-il, à son

190

tour, cette solitude des objets à Jean Genet : « Un jour, dans ma chambre, je regardais une serviette posée sur une chaise, alors j'ai vraiment eu l'impression que non seulement chaque objet était seul, mais qu'il avait un poids – ou une absence de poids plutôt – qui l'empêchait de peser sur l'autre. La serviette était seule, tellement seule que j'avais l'impression de pouvoir enlever la chaise sans que la serviette change de place. Elle avait sa propre place, son propre poids, et jusqu'à son propre silence. Le monde était léger, léger… »

Seul à être, irremplaçable. Giacometti, ou la sculpture pour aveugles, dit Genet. Il reconnaît le plaisir de ses doigts, quand il y a dix ans, il avait parcouru ses lampadaires. « Sans doute, me dis-je, toute statue de bronze donne aux doigts le même bonheur. Chez des amis qui possèdent deux petites statues, copies exactes de Donatello, je veux recommencer sur elles l'expérience : le bronze ne répond plus, muet, mort. »

Genet ferme les yeux de bonheur quand il sent sous ses doigts la statue de Giacometti. Émerveillé, il touche le cou, la tête, la nuque, l'épaule « exquise de force ».

Trois tableaux de lui seront réalisés, de 1954 à 1957. Le poêle à charbon Godin derrière lui, Genet pose assis, mains jointes, bras posés sur les cuisses, jambes écartées. De face. On dirait la position du *Scribe accroupi*, la sculpture égyptienne de l'Ancien Empire tant aimée d'Alberto, au musée du Louvre. Les premiers dessins montrent Genet la tête inclinée, ovoïde. Son onction de prélat traversée d'éclairs, dont parle Sartre, laisse sourdre la violence. L'écrivain est en pleine crise et l'évoque dans une interview. Depuis le *Journal du voleur,* en 1949, au

Balcon en 1956, Genet ne publie rien. « J'ai vécu dans un état épouvantable pendant six ans, dans cette imbécillité qui fait le fond de la vie, ouvrir une porte, allumer une cigarette. Il n'y a que quelques heures dans la vie d'un homme. Tout le reste est grisaille. » L'acharnement d'Alberto l'impressionne. Bientôt Jean Genet va rencontrer Abdallah, le funambule, et frémir à nouveau. Il a quarante-six ans, Abdallah dix-huit, et Genet vend *Rêves interdits*, son vieux scénario cinématographique, pour payer des leçons de funambulie à Abdallah. Le fil transcendant l'émerveille. « Ton fil te portera mieux, plus sûrement qu'une route. » Les paillettes, les collants, le maquillage outré des paupières mauves, les ongles dorés dansent avec la mort. « Si tu tombes, tu mériteras la plus conventionnelle oraison funèbre : flaque d'or et de sang… »

Le Balcon sera publié avec une lithographie d'Alberto en frontispice. L'aventure, entre eux, commence, celle-là même qu'invoque Alberto : « Et l'aventure, la grande aventure, c'est de voir surgir quelque chose d'inconnu chaque jour, dans le même visage, c'est plus grand que tous les voyages autour du monde. » Alberto ne tourne pas autour, il est toujours de face. Frontal, tel le torero dans le berceau des cornes.

Faire, défaire, refaire, le tortionnaire en lui mène sa fascinante et obsédante bataille. La traversée du désert, la « désespérante contrée » dont parle Genet, Alberto connaît… Ténèbres et éblouissement les animent, les unissent. Pas de contour, dans le dessin de Giacometti, mais une multitude de traits restituent sa vision, sans cesse recommencée. Genet admire la justesse du trait, sa dureté.

Cézanne travaillait dans le motif, face au tableau, Alberto travaille dans l'être, face au tableau. Il délimite son champ de vision par un cadre fictif, tracé au pinceau, et livre son combat : tête ligaturée par les coups de pinceau, densité faramineuse, cible sillonnée de traits. La massivité du torse, socle suprême, le fixe, l'extrême réduction de la tête l'enfonce dans le regard : « Si j'ai l'orbite, j'ai la racine du nez, j'ai la pointe du nez, j'ai les trous du nez, j'ai la bouche. » Nez fatal, conjuré avec la mort dans sa terrifiante métamorphose : on se rappelle l'exorcisme du *Nez* de 1947, la mort de Tonio, l'hiver ancien où Alberto l'étudiant reste enfermé dans sa chambre d'hôtel à peindre un crâne, « à tâcher de trouver l'attache, la naissance d'une dent », et à désespérer.

Alberto répétait : « J'ai l'habitude de regarder les gens en face. » Genet de face, à mi-corps, la chemise largement ouverte, pose. Dans la chambre de vision, on dirait que le monolithe du passé surgit, en humain. Pose frontale, aura de la nuit qui tombe dans le cosmos de l'atelier.

« J'ai encore dans les fesses la paille de la chaise de cuisine sur laquelle il m'a fait asseoir pendant quarante et quelques jours pour faire mon portrait, confiera Genet à Antoine Bourseiller. Il ne me permettait ni de bouger ni de fumer, un peu de tourner la tête, mais alors une conversation de sa part tellement belle ! »

La tête jaillit du vide. Les pinceaux fins et minces édifient, à l'aide de petites touches superposées, puis Giacometti trempe le pinceau dans un plat de térében-thine, le presse dans ses doigts, se met à travailler avec du blanc et du gris. L'autre pinceau, plus grand, se fait impétueux par-dessus ce qu'il a déjà peint, avec du blanc. La désintégration va entrer en acte : effacer les détails. Avec le pinceau fin Alberto recommence, use le noir. L'apparition sourd.

« Il faut que le travail efface le travail », disait Jean Cocteau. Alberto confie à Genet : « Jamais je n'arriverai à mettre dans un portrait toute la force qu'il y a dans une tête. » Fasciné, Genet regarde son tableau, le tire dehors pour le mieux voir : il fond sur lui. S'impose, vient à sa rencontre. Les sculptures ? Bosse, crête, pointe déchirée du métal, « chacun d'eux continue à émettre la sensibilité qui les créa. Aucune pointe, arête qui découpe, déchire l'espace, n'est morte ». Entre les deux hommes, rayonne l'indicible, la singularité de chacun : Genet, enfant banni, mis à l'Assistance publique, n'a vécu adulte qu'à l'hôtel ou en prison. Il mourra à l'hôtel, même pas au Rubens, où il descend d'habitude, mystérieusement complet. La maternité, fût-ce celle d'une chambre, lui sera refusée jusqu'à la dernière minute. Il échoue dans un petit hôtel terne, le Jack's, dépose les épreuves de son *Captif amoureux* sur la table de chevet étrangère. C'est là qu'il va mourir.

Genet, cet autre voyageur sans bagages des nuits, restera toute sa vie le détenu de l'amour de la mère, cette Gabrielle qu'il ne vit jamais. Il ne pourra que la fleurir de son nom. Le G de Gabrielle sera recouvert de genet, la fleur des broussailles.

Chaque fois que Jean Genet croise une horrible mendiante, dépenaillée, il est traversé par la pensée : « si c'était ma mère ? » Alberto, dans son acuité même, devine toutes les douleurs, et il est déchirant qu'il ait parlé à Genet, précisément, de ses amours avec une vieille clocharde « charmante et déguenillée, sale probablement et dont il pouvait voir, quand elle le distrayait, les loupes bosseler son crâne dégarni. – Je l'aimais bien, hen. Quand elle était restée deux ou trois jours absente, je sortais dans la rue pour regarder si elle venait... Elle valait toutes les belles femmes, non » ?

Genet écrit : « Il n'est pas à la beauté d'autre origine que la blessure, singulière, différente pour chacun, cachée ou visible, que tout homme garde en soi, qu'il préserve et où il se retire quand il veut quitter le monde pour une solitude temporaire mais profonde... L'art de Giacometti me semble vouloir découvrir cette blessure secrète de tout être et même de toute chose, afin qu'elle les illumine. »

Nul n'a mieux ressenti Alberto, avec sa tête grise ébouriffée, cheveux taillés par Annette, son pantalon gris qui tombe sur ses souliers et son culte de la poussière. « Il sourit. Et toute la peau plissée de son visage se met à rire. D'une drôle de façon. Les yeux rient bien sûr, mais le front aussi (toute sa personne a la couleur grise de l'atelier). Par sympathie peut-être il a pris la couleur de la poussière. Ses dents rient – écartées et grises aussi – le vent passe à travers. »

Alberto marche en claudiquant, rue d'Alésia, aux côtés de Genet, pour aller boire un verre, et lui confie avoir été très heureux quand il a su, après son accident, que son opération le laisserait boiteux.

Les femmes de Giacometti, Genet les voit en déesses. Il se fait éloquent, en parlant des bustes de Diego :

« Le buste de Diego n'atteint jamais à cette hauteur, jamais jusqu'à présent il ne recule – pour en revenir à une vitesse terrible – à cette distance dont je parlais. Il serait plutôt le buste d'un prêtre appartenant à un très haut clergé. Pas dieu. Mais chaque statue si différente se rattache toujours à la même famille hautaine et sombre. Familière et très proche. Inaccessible. » Genet, par le mystérieux pouvoir de la poésie, a reconnu en Diego ce grand prêtre de son frère, grâce auquel le rituel de sa création peut se poursuivre. Le *Captif amoureux* ne peut avoir de secret pour lui.

Genet touche le mystère obsédant des sculptures d'Alberto : « Cet incessant, ininterrompu, va-et-vient de la distance la plus extrême à la plus proche familiarité. » Pas une note de trop, comme dans Mozart. Les notes s'aiment.

La boue des gris, la palette posée au milieu des vieilles bouteilles apprivoisent l'écrivain : « Il me semble que pour lui une ligne est un homme : il la traite d'égal à égal. »

Le dialogue, irrésistible, fond sur nous :

Giacometti : « Quand je me promène dans la rue et que je vois une poule de loin et tout habillée, je vois une poule. Quand elle est dans la chambre et toute nue devant moi, je vois une déesse. »

Genet : « Pour moi une femme à poil est une femme à poil. Ça ne m'impressionne guère. Je suis bien incapable de la voir déesse. Mais vos statues, je les vois comme vous voyez les poules à poil. »

Il est permis de se demander si l'homosexualité de Jean Genet ne diviniserait pas, elle aussi, la vision d'un nu mâle, éphèbe ou voyou. Genet aime la fraîcheur de fauve et les proies pour le miracle. « Un assassin si beau qu'il fait pâlir le jour... » En tout cas il a perçu « ce peuple de sentinelles dorées » d'Alberto dans son émotivité la plus absolue : « À côté d'elles, comme les statues de Rodin ou celles de Maillol sont prêtes de roter, puis de dormir... »

Enfin il touche la féerie quand il évoque les pieds des statues : « Étranges pieds ou piédestaux !... Il semble ici que Giacometti – qu'il me pardonne – observe un rituel intime selon lequel il donnera à la statue une base autoritaire, terrienne, féodale... L'inquiétude, l'envoû-tement qui nous viennent de ce fabuleux pied-bot n'est pas du même ordre que le reste. Par la tête, les épaules, les bras, le bassin, il nous éclaire. Par les pieds, il nous enchante. »

Ses lunettes cassées baissées sur le nez, Alberto n'en finit pas de scruter son modèle, assis bien droit, rigide, prêt à être morigéné s'il bouge. Il le regarde, émerveillé : « Comme vous êtes beau ! » Et Genet poursuit : « Il donne deux ou trois coups de pinceau à la toile sans, semble-t-il, cesser de me percer du regard. Il murmure encore comme pour lui-même : "Comme vous êtes beau." » Puis il ajoute cette constatation qui l'émerveille encore plus : « Comme tout le monde, hein ? Ni plus, ni moins. »

Genet pressent que l'œuvre de Giacometti, depuis les millénaires égyptiens, s'apparente au peuple des morts. Peut-être par l'infinie solitude que le visage humain, capté par la frénésie d'Alberto, reflète de l'inexorable.

De Giacometti, l'homme qu'il a le plus admiré, Genet dira : « Alberto m'a appris la sensibilité devant la poussière, devant des choses comme ça. » La naïve fraîcheur de l'objet, jamais il ne la prostitue. « Il me semble que pour aborder les objets, l'œil, puis le crayon de Giacometti se dépouillent de toute préméditation servile. » Seul à être, il retrouve en lui l'irremplaçable.

Alberto traverse du territoire glacé des morts à celui des vivants. Bien des années plus tard, Genet voudra revoir le corps de celui qu'il a tant aimé, Abdallah l'acrobate déchu. « Tes sauts, lui écrivait-il – ne crains pas de les considérer comme un troupeau de bêtes. En toi, elles vivaient à l'état sauvage… Grâce à tes charmes, elles sont soumises et savantes. » Abdallah est tombé du fil au Koweit, en faisant le saut périlleux. Son suicide hante l'écrivain. Dans sa chambre de bonne louée, Abdallah a avalé du Nembutal et s'est coupé les poignets, laissant les pages de Genet pleines de son sang… Genet se rend à la morgue où il repose. Les paillettes d'or se sont éteintes et le funambule merveilleux est devenu un Giacometti : « En regardant ce visage d'Abdallah mort, je reconnus le très proche et l'incalculablement, scandaleusement lointain des sculptures de Giacometti. »
Genet va réenfiler son blouson légendaire et retrouver sa solitude. « Nous n'avions pas fini de nous parler d'amour, nous n'avions pas fini de fumer nos Gitanes », écrit-il dans *Le Condamné à mort et autres poèmes*. Le compagnonnage du portrait s'achève. Lui et Alberto vont se quitter bientôt. Pomme, bouteille, table, palmier retiennent aussi l'enchantement. La suspension fait dire à Alberto, avant qu'il ne la couche sur la feuille de papier dans sa naïve nudité : « C'est une suspension, c'est Elle. » Et rien de plus, ajoute Genet.

Oui, mais la suspension tant aimée, de Stampa à l'atelier, sous laquelle les petits Giacometti se blottissaient enfants, la suspension qui éclaire tout, c'est la mère. Leur au revoir reste suspendu sous les ombres tutélaires d'Annetta et de Gabrielle, leurs mères. Ce qui s'est passé, mais aussi ce qui ne s'est pas passé les relie.

Souvent, devant lui, Alberto répète ce commandement dont j'ai retrouvé, grâce à Genet, l'origine, puisque je l'avais découvert sur les lèvres de Diego : « Il faut valoriser… » Et Genet d'ajouter : « Je ne pense pas qu'il ait porté une fois, une seule fois de sa vie, sur un être ou sur une chose un regard méprisant. Chacun doit lui apparaître dans sa plus précieuse solitude. »

Femmes de Venise

À l'automne 1955, Alberto reçoit l'invitation officielle pour la salle principale du pavillon français à la Biennale de Venise, en juin de l'année suivante. Une grande rétrospective de son œuvre aura lieu à Berne, en même temps.

En cette année 1955, plongé dans son travail, Alberto se plaint : « Je veux faire Marilyn Monroe et j'allonge, j'allonge… »

Dix *Femmes de Venise* voient le jour. La petitesse disproportionnée des têtes, leurs corps étirés, l'énormité des pieds obéissent au rituel intime d'Alberto. De leur élan, le mystère reste intact en même temps qu'une intrahissable proximité fond sur nous. Des dessins superbes, études d'intérieur, Stampa, Paris, transfigurent chaises, tables, casseroles, bouteilles. Les portraits peints de

Diego, Annette et la mère rayonnent sans discontinuer, dans l'aura des portraits du Fayoum.

Il fallait voir Alberto, la clope aux lèvres, portant comme un enfant une sculpture de bronze destinée à l'exposition, ou se dissimulant sous un imperméable qui lui recouvre la tête, étrange figure cachée sous la pluie – deux clichés parmi les plus beaux portraits que Cartier-Bresson a réalisés de lui. Il continue son régime infernal, café sur café, une tranche de jambon et un œuf dur avalés à six heures au café du coin, avec un verre de vin rouge, avant de se remettre au travail, un dîner tardif à la Coupole et puis l'éternelle errance nocturne. Il fume jusqu'à quatre paquets de cigarettes par jour.

L'irrévérence n'a jamais plu aux deux frères. Alberto portera toujours une cravate. Certes Diego et lui ont passé à l'offensive contre les préjugés, mais c'est une autre affaire. Leur révérence à la mère durera à vie. Ils aiment mieux être des hommes à paradoxes que des hommes à préjugés. Ces deux fils d'une mère adulée resteront aussi misogynes l'un que l'autre, à leur façon. « Il y a toujours quelque chose qui ne va pas », grogne Diego à propos des femmes. Mais il leur plaît. Et la séduction de son frère, à fleur de peau, à fleur d'organe, rassérène Alberto au plus obscur de lui-même. Diego est son double. Son miroir. Diego met de côté l'argent, comme l'araignée bien-aimée de son passé ses proies. Alberto donne des poignées de billets aux filles et, toujours, le minimum à Annette.

Celle-ci se plaint sans cesse, de récrimination en récrimination, la « petite », Zozotte, perd sa grâce. Diego la prend franchement en grippe, d'enquiquiner son frère. Ce qui plaît à Annette est de dîner le soir avec Olivier Larronde et Jean-Pierre Lacloche, quand ils invitent Alberto : leur luxe décadent, leur raffinement la fascinent. Elle enrage de manquer du confort le plus élémentaire.

Raymond Mason aimait entrer dans le couloir du 46, rue Hippolyte-Maindron respirer l'odeur du plâtre humide et entendre le bruit du poêle Godin, rembourré. Sa première vision d'Alberto revit au café de Flore : « Cheveux grisonnants en bataille, vêtements fripés, des mains gesticulantes, il parlait intarissablement… tous ses traits tenus par les lignes profondes d'une peau crevassée comme celle d'un vieux Sioux. » Mason le voyait faire le matamore avec Annette et raconte drôlement : « Par solidarité avec sa galerie, il pouvait jurer au ciel que telle ou telle exposition d'un autre artiste de chez Maeght, ouverte la veille, était "très très bien". Alors Annette, ses yeux ronds et candides, disait : "Mais hier soir tu me disais que c'était de la merde." "Toi, tais-toi !" rugissait Alberto, content, je le pensais toujours, que la vérité soit ainsi honorée. »

Alberto et Annette prennent le train pour Stampa, où Alberto va laisser sa femme et sa mère en tête-à-tête, et partir pour Venise. Le placement de ses statues l'attend. Au bout d'une semaine, avant l'ouverture de la Biennale, il se rend à l'imposante rétrospective, de Berne. Annette le rejoint au vernissage, organisé par Franz Meyer, conservateur de musée, marié à Ida, la fille de Chagall. Une jeune et jolie admiratrice vint dire son émotion à Alberto, qui l'embrassa spontanément sur les deux joues. Annette se mit à pousser des cris de paon et dut se retirer dans une chambre voisine. Ses nerfs la lâchaient. Ce n'était que le début de la tempête.

Le poème d'Aragon n'est plus de saison :

> *Le temps qui passe passe passe*
> *Avec sa corde fait des nœuds,*
> *Autour de ceux là qui s'embrassent*
> *Sans le voir tourner autour d'eux*
> *Qui donc a tué l'oiseau bleu*
> *On n'a tiré de sa jeunesse*
> *Que ce qu'on peut et c'est bien peu.*

Annette n'est pas Elsa, et le monde de l'ombre et du spectre est à venir. Arrivants et survivants vont s'entre-tuer.

Dernier amour

« Il doit exister un lien entre ces figures sévères et solitaires et le goût de Giacometti pour les putains. Grâce à Dieu tout n'est pas explicable et je ne vois pas clairement ce lien, mais je le pressens. »

Jean Genet

Le nouveau venu, Yanaihara

Isaku Yanaihara va poser de 1956 à 1961 pour Alberto Giacometti : deux cent vingt-huit jours, pendant ses séjours successifs à Paris, relatés dans son *Journal de pose*, publié en japonais. Il inspire à Alberto ce que la Japonaise Sashiko Natsume-Dubé appelle dans son essai, du mot même utilisé par Alberto, la « catastrophe » de novembre 1956.

Qui donc est ce nouveau venu ? Par lettre un écrivain japonais ayant écrit sur Alberto dans une revue d'art l'introduit auprès de ce dernier. Les deux hommes se rencontrent, pour la première fois, au Café des Deux Magots. Yanaihara se rend à l'atelier, d'abord avec l'accord d'Alberto, puis sans prévenir, ou au café du coin, rue Didot. Spontanément, Alberto l'invite à dîner, avec Annette, Jean-Pierre Lacloche et Olivier Larronde. Hiver et printemps s'écoulèrent, puis Yanaihara résolut de faire étape en Égypte, sur le chemin de retour au Japon, où femme et enfants l'attendent.

Fils d'un distingué professeur d'économie politique, Yanaihara est devenu professeur de philosophie et a enseigné dans différentes universités, au Japon, avant d'obtenir une bourse du CNRS pour suivre des études à la Sorbonne. Il a traduit *L'Étranger* de Camus, et s'intéresse à l'existentialisme en la personne de ses deux hérauts, Sartre et Simone de Beauvoir.

Il voit Annette poser, et Jean Genet. Puis Alberto décide de prendre Yanaihara comme modèle, qui doit alors déménager de sa chambre d'étudiant à l'hôtel Raspail, proche de la rue Hippolyte-Maindron. Jean Genet vient souvent à l'atelier pendant que le jeune Japonais pose pour Alberto, amoureux de ses modèles, au dire de l'écrivain. Ce que Giacometti appelle leur « aventure », celle du portrait, fascine Genet. « Quelle passion » ! s'exclame-t-il, devant Yanaihara immobilisé.

La catastrophe survint en novembre : Alberto travaille à trois toiles en même temps de Yanaihara, une l'après-midi, l'autre de deux à cinq, de six à huit, puis celle du soir de huit à minuit.

« Et tout d'un coup, en criant "Merde ! Merde", il retira subitement son bras tendu vers la toile. "Merde" ! Les dents serrées, me fixant d'un air terrifiant, il essayait, le bras tendu de toucher la toile. Au moment où le pinceau était sur le point de toucher la toile, il retira le bras comme sous l'effet d'une décharge électrique. Il gémit : "Non, je n'ai pas le courage de toucher la toile." Au début, j'ai cru qu'il le faisait exprès. Mais ce n'était pas le cas. Il tapa du pied en jurant avant de tendre de nouveau le pinceau vers la toile. Mais son bras fut encore retiré, comme repoussé par quelque chose. Ce mouvement se répéta trois ou quatre fois. "Non", gémit-il. Ayant arrêté de peindre, il resta longtemps assis, la tête dans les mains, immobile. »

Quelques instants plus tard, Yanaihara se lève et s'approche de lui : « À ma grande surprise, il pleurait. Il se mordait les lèvres, les mains contre les yeux. "Qu'est-ce que vous avez, Alberto ?" ai-je répété, et au moment où je mis ma main sur son épaule, il commença à sangloter. »

Après quelques instants Alberto retrouva son calme et s'excusa : « Votre visage sur la toile me semblait une bombe qui pouvait éclater au plus petit contact et qui allait tout foutre en l'air... Tout va se foutre en l'air. Tout va s'écrouler et s'abîmer dans un gouffre inaccessible. Regardez, il n'y a ni œil ni nez ni oreille, il n'y a qu'un brouillard. Si je continue ce travail, il ne restera plus rien sur la toile, que faire ? »

Yanaihara devient insaisissable. Alberto jette ses pinceaux, les pose l'après-midi, puis le soir.

« Tout s'écroule, non seulement cette toile mais ma peinture tout entière. Pareil pour la sculpture, je ne pourrai plus faire ni peinture ni sculpture. Non seulement mon travail mais ma vie aussi s'écroule, elle se désintègre et tout fuit. »

On se rappelle les psychodrames fameux qui jalonnèrent la vie d'Alberto et ses cycles, depuis la crise de 1925. Le lendemain, la même scène, intégralement, se reproduisit, et les jours suivants. Alberto hurla, sanglota. Annette, habituée à ces affres, ne l'avait encore jamais vu dans un tel état, confia-t-elle à Yanaihara.

Celui-ci reporta pour la cinquième et dernière fois son départ, à la mi-décembre, et le soulagement d'Alberto fut immédiat : « Ce serait trop cruel si vous deviez partir après-demain. Mon désespoir, mes difficultés et mon manque de courage de ces derniers jours étaient dus à l'imminence de votre départ. Si j'ai encore quinze jours devant moi, je peux travailler avec beaucoup de courage. Vous ne pouvez pas savoir comme je suis heureux. »

Parlerait-il à la femme aimée que les mêmes mots pourraient apparaître aussi bouleversants. Il peine toujours et recommence, racle les couches de peinture accumulées à l'endroit du visage, avec son canif de sculpteur : « Voilà le déplorable résultat de nos efforts. Mais je ne pourrai pas avancer sans passer par là, je n'ai pas le choix. »

Alberto est hyperconscient de cet inéluctable : « On ne peut progresser qu'à travers une catastrophe. S'il y a quelque chose de remarquable dans le portrait de 1956, c'est à cause de la catastrophe. » Et il a ce mot si beau : « Le vrai travail commence quand on a trouvé. »

La veille et le matin même du départ, ils travaillèrent. Alberto dit à Yanaihara : « Grâce à vous qui avez posé avec passion, j'ai fait énormément de progrès, ce qui se vérifie à deux choses : premièrement, le fait que je peux travailler comme d'habitude la veille de votre départ, c'est-à-dire détruire comme d'habitude, car je suis en train de détruire ce que j'ai fait hier. Je n'en étais pas capable avant. Deuxièmement, le fait que j'ai dépassé la limite du possible pour pouvoir continuer le travail qui me paraît impossible… Ce qui est dommage, c'est que c'est seulement maintenant que le vrai travail commence enfin et que je commence à comprendre comment faire. Merde, j'avance trop lentement. Si j'avais encore quelques jours, je ferais certainement beaucoup de progrès… »

Chantage d'un enfant, d'un amant, d'un artiste ? L'aventure n'est qu'en sursis. Suspendue jusqu'à l'été suivant.

L'autre aventure

Une autre aventure, et de taille, lie Yanaihara à Annette. Un après-midi de novembre, Alberto annonça à son modèle qu'il le libérait pour sa soirée, ayant une obligation. Annette proposa à Yanaihara de l'accompagner au concert, salle Gaveau, écouter un récital de negro spirituals par des noirs américains. Ils devaient rejoindre ensuite Alberto au café de Flore.

Dans le taxi, Yanaihara embrassa l'épaule d'Annette. Ils s'étreignirent. Du café de Flore, où ils avaient rejoint Alberto, ils se rendirent tous trois à Montparnasse, où Alberto les abandonna à nouveau. L'hôtel de Yanaihara était tout à côté…

Un peu anxieux, le lendemain, il s'enquit auprès d'Alberto de savoir s'il était furieux. « Pas du tout, répondit Alberto, je suis très content. » Les soirs suivants, il en fut de même.

L'ambivalence d'Alberto ne peut laisser ignorer sa jalousie – après tout, il avait été le grand homme dans la vie d'Annette. Elle se doubla de son impuissance cruciale dans son travail. « J'ai cru, avec le temps, avoir fait des progrès, un petit progrès, jusqu'au moment où j'ai commencé à travailler avec Yanaihara. Depuis les choses sont allées de mal en pis. » Le royaume dont le prince est un enfant, quelque part en lui, est resté sien. Il peut se prétendre heureux qu'Annette soit heureuse, il n'en est rien. Son intelligence peut tout escamoter. Diego, lui, enrage. Il n'a jamais aimé ce parfait étranger qu'Alberto fait déjeuner ou dîner avec eux, pour l'intégrer à leurs longues discussions dans les cafés, leurs virées. Le pot aux roses avec sa belle-sœur le révolte.

Yanaihara apprend quelques mots en japonais à Annette qu'elle répète à Alberto. Ce dernier dit à son nouvel ami : « Je suis sûr qu'elle t'adore. »

Son masochisme masque l'outrage. Il se plonge, après le départ de Yanaihara, dans un nouveau portrait d'Annette, et veut réaliser un autre buste de Diego. Impossible pour lui, dans ces conditions, d'aller à New York, où la Chase Manhattan Bank s'adresse à lui et à Calder : la construction d'un nouvel immeuble de soixante étages à Manhattan pour son siège central et l'aire spacieuse qui va s'étendre au pied du bâtiment exigent quelque chose de monumental. Alberto n'a jamais vu un gratte-ciel de sa vie et travaille sur maquettes. À quatre grandes figures de femmes, deux hommes en marche et une tête monumentale de Diego.

Mort de fatigue, Alberto reste infatigable. Le portrait de Stravinski décidé, le rituel est pris d'une pose à chaque passage de l'illustre compositeur par Paris. Il pose à l'hôtel pour son ami. Leurs affinités sont profondes. Repérant Alberto dans la foule à la sortie d'un de ses concerts, Stravinski fondit l'embrasser.

Le matin du vernissage de la troisième exposition Giacometti à la galerie Maeght, en juin 1957, Diego arrivant à l'atelier trouva quatre nouvelles sculptures de son frère avec le billet suivant : « Peux-tu me faire un moulage de chacune pour cet après-midi ? Sinon, l'exposition est inutile. » Le monstre sacré a la passion d'un débutant. Diego s'inclina.

L'irremplaçable Yanaihara revint en juillet et tout recommença. Annette, amoureuse, se jeta sur l'été. Le dernier jour, Yanaihara posa une heure et demie avant de gagner l'aéroport, escorté par Annette et Alberto.

Il ne devait pas revenir l'été suivant, et le brouet de sorcière reprit rue Hippolyte-Maindron, entre une Annette de plus en plus nerveuse, insomniaque et bourrée de tranquillisants, et Alberto déchaîné. Une jeune femme de vingt-huit ans, née à Naples, Paola Carola, va poser pendant huit mois pour Alberto. Son mari, âgé et riche, désirait son portrait par Balthus, mais Paola avait entrevu l'œuvre d'Alberto, à dix-huit ans, à la Biennale de Venise, et elle insista. Matta donna l'adresse désirée de Giacometti. « Ce qui l'intéressait, se rappelle-t-elle, c'était la tête, pas de faire la tête de Paola. » Son idée fixe, la tête.

Aimé Maeght, dans une bienheureuse folie des grandeurs, souhaite réaliser son projet de musée, sur les collines de Saint-Paul-de-Vence. *La Jambe* sort de l'atelier, entre les projets pour la Chase : jambe de bronze sectionnée à la base de la hanche, elle s'appuie sur le fameux pied qu'Alberto a failli perdre, le pied planté comme un arbre devenu la base transcendante de toutes ses statues. Pied fatal qui complète la fameuse série d'il y a une décennie déjà : *Le Nez, La Main, Tête sur tige* et sa bouche béante. Les exorcismes d'Alberto à son corps.

Ses écrits sont publiés de l'autre côté des montagnes, à Zurich, où vivent Bruno et Odette, parents et amis. La terrienne Annetta ne quitte plus Stampa. Elle se compare volontiers à la mère des Gracques qui appelait ses fils ses bijoux. Annette prend en horreur ce temple de l'amour, qu'elle aime de moins en moins rejoindre. Mais comment y échapper ?

La nouvelle venue : Caroline

En 1959 mourut le docteur Francis Berthoud, le mari d'Ottilia Giacometti, la sœur disparue. Le petit Silvio, dont Alberto avait fait le buste à Genève, entre ses madames du Perroquet, a vingt-deux ans. Il ressemble comme deux gouttes d'eau à son oncle Alberto, qu'il vient souvent voir avec Diego, à Paris. Médecin, il épouse la fille d'un pasteur évangéliste de Genève.

Amoureux dépité, Michel Leiris fait une tentative de suicide en avalant un flacon de phénobarbital. Peine perdue, car il ne mourut pas et écrivit *Vivantes Cendres, innommées,* confiées à Alberto pour qu'il les illustre. Yanaihara revint cet été-là et reprit les implacables horaires de pose. De plus en plus, Alberto tendait dans ses peintures à la monochromie, le fameux gris Giacometti. « J'essaie de peindre avec des couleurs, disait-il, mais je ne peux pas appliquer de couleurs sans avoir au préalable un bâti. Et construire ce bâti sur la toile, c'est déjà une tâche interminable. Et parvenir de là au coloris me semble équivalent à l'impossible. Je ne sais pas comment on fait ça, je ne le vois simplement pas. »

Alberto va entrer dans l'émerveillement du gris. « L'une après l'autre, les couleurs ont quitté le bal ; pour finir il ne resta que gris, gris, gris ! Mon expérience : la couleur que je sens, que je vois, que je veux rendre, qui signifie pour moi la vie même, eh bien ! je la détruis, je la détruis tout à fait quand je place délibérément une autre couleur. »

Le destin n'attend pas. Un soir d'octobre, Alberto dîna tard à la Coupole et alla prendre un verre chez

Adrien. Abel, le barman noir, l'accueillit de son habituel «Monsieur Albert», puis Dany et Ginette, ses familières, le rejoignirent à sa table. Au bar, une fille toute jeune, les cheveux et les yeux bruns, intriguait Alberto, et Dany se fit un plaisir de la faire venir à leur table. Elle se prénommait Caroline.

Elle s'appelait en fait, dans l'identité civile, Yvonne Poiraudeau. Ce double, dont tant de femmes rêvent, Alberto allait le transfigurer en sa *Caroline*.

Ils se rendirent tous les quatre au OK voisin, où il était possible de manger. Quand Dany et Ginette durent partir, Alberto déposa une poignée de billets dans une soucoupe. Cela allait de soi pour lui : leur temps perdu était dû. Il resta seul avec Caroline.

Elle avait vingt et un ans, Alberto cinquante-huit. Son verbe éblouit la jeune femme. Caroline était une nature, elle aimait se raconter, aussi louches soient ses fréquentations. Malheureuse dans sa famille, elle était passée par une maison de redressement. L'extrême jeunesse de Caroline pourrait faire songer à la rencontre de Charlie Chaplin avec celle qui sera sa seconde épouse : elle a douze ans et joue l'Ange tentateur dans *Le Kid*.

Le désintéressement d'Alberto n'appartenait qu'à lui. Jamais il ne fut mercantile. Jeune, rien ne lui était plus étranger que le Avida dollars, le surnom donné à Dali par Breton. Aujourd'hui, il se différenciait totalement d'un Charlie Chaplin dont le baluchon devenu un lingot d'or l'avait transporté avec femme et enfants dans un bunker suisse...

Quand la bonne de sa mère à Stampa arriva à la table à manger avec l'annonce pour Alberto qu'il venait de recevoir le prix Carnegie, il lui fit cadeau du montant de ce prix pour la remercier de sa gentillesse envers sa mère.

Le milieu des filles et des souteneurs, leurs Bubus de Montparnasse, n'est pas pour effaroucher Alberto. Il se repaît des récits de Caroline, et quand à six heures du matin ils sortent sur le boulevard, l'aube si chère à Alberto pointe.

Le café du coin, le Dupont-Parnasse, était ouvert et Caroline dit à Alberto : « Entrons. Je vous offre une tasse de café. » Jusqu'à neuf heures du matin, ils parlèrent, parlèrent... Pressentaient-ils que toujours allait s'imposer ? Les rendre inséparables, eux qui, en toute brave logique, pourraient ne plus se revoir. Mais les étincelles entre ces deux-là avaient été trop vives, elles les illuminaient. Déjà, Caroline avait soif d'entendre, à nouveau, le verbe fulgurant d'Alberto. Il la subjugue.

Marlène Dietrich avait adoré *Le Chien*, d'Alberto, son ondoyante silhouette mélancolique, aux côtes saillantes. Elle voulut rencontrer le sculpteur. Alberto la fit venir à l'atelier, entre ses murs gravés, griffonnés et peints. Des mégots et des allumettes calcinées jonchaient le sol, la grande table couverte de bouteilles vides, de dizaines de vieux pinceaux, de palettes et de quelques plâtres brisés. La déesse s'assit aux pieds d'Alberto. « Il travaillait alors sur des statues de femmes tellement grandes qu'il devait monter sur une échelle pour en atteindre le sommet. L'atelier était froid et nu. Il était là, perché sur son échelle, moi accroupie le regardant, attendant qu'il descende ou qu'il prononce un mot. Il parla. Mais ce qu'il dit fut si triste que j'en aurais pleuré si j'avais su pleurer au moment adéquat. Lorsqu'il fut à ma hauteur, nous nous étreignîmes.»

La scène, émouvante, de la rencontre entre celle qu'on appelait *The Legs,* et Alberto, cinéphile fasciné, allait se couvrir de roses, d'énormes bouquets de roses rouges que Marlène envoyait à sa place, quand elle ne pouvait pas venir, avec des billets griffonnés «Je pense à vous. Marlène», ou un télégramme.

Marlène, au prénom de caresse, et dont le nom claque comme un fouet, disait Cocteau, aimait les hommes rudes. Sa liaison avec Jean Gabin en témoigne. Le sculpteur à la beauté sauvage émut-il l'étrangère ? L'actrice collectionnait les aquarelles de Cézanne dans sa maison et savait bien qu'elle rencontrait un des plus grands créateurs de son temps. Naturelle, elle lui dit préférer le plâtre de son *Chien,* avec son étoupe, au bronze. Au café du coin, personne ne se souciait d'elle, Alberto pouvait parler tout son saoul.

Alberto déposa au Lancaster, l'hôtel de Marlène rue de Berri, un dimanche, une petite sculpture de plâtre avant son départ de Paris. Ils ne se revirent plus. La mûrissante séductrice avait été éclipsée par les vingt ans de Caroline.

Caroline vint, pour la première fois, à l'atelier. C'était l'hiver. Elle habitait à l'hôtel de Sèvres et arrivait au volant d'une grosse voiture américaine. Dès le premier regard, Diego la détesta. Il recommanda à son frère de se méfier, sa voiture lui faisait l'impression d'avoir été volée. De temps en temps, Caroline disparaissait. Elle avait la passion du jeu... Perdre ou gagner comptait moins que l'excitation : son miracle à elle, son besoin de flamber.

Alberto décida de rejoindre la mère, à Stampa, dans la vallée d'ombre de fin février ; donna-t-il rendez-vous à Zurich à Caroline ? Annette, de plus en plus irritable, ne l'accompagnait pas. Toujours est-il qu'il attendit sa belle en vain. Elle arriva trop tard, laissa une note à Bruno, le frère d'Alberto, qui la lui fit suivre à Stampa.

Rapidement de retour à Paris, Alberto chercha Caroline. Elle n'était nulle part. À son hôtel, on ne savait rien d'elle. Sa disparition l'accabla. Hors de lui, il interrogeait sans cesse Abel, le barman extrêmement informé des us et coutumes de ses jeunes pensionnaires, chez Adrien. L'éclipse de Caroline embrasait Alberto. Huit jours à Rome, où il n'était pas retourné depuis sa jeunesse, passèrent comme un songe. « Diego à Stampa, Annette à Rome, Caroline disparue. Le téléphone sonne dans l'arrière-salle du bar, si c'était elle ? Non, personne ne vient m'appeler.

« Je croyais la voir à mon retour, non, silence, où est-elle ? Qu'elle revienne ! Qu'elle revienne ! Voilà tout ce que je sais écrire ce soir ici, à cette table de l'OK, à quatre heures du matin. »

Son journal ne ment pas. Tout son être n'est que prière pour son retour. La fameuse cristallisation, sans égale pour l'amoureux qu'il est devenu, le possède corps et âme. Dany le prend en pitié et lui obtient son adresse. Alberto lui écrit, à la table de café où ils se sont retrouvés pour la dernière fois.

Furieuse d'avoir été découverte, Caroline lui répondit vertement, déjà jalouse de Dany. Le milieu des filles ne se fait pas de cadeau. Alberto l'avait fréquenté toute sa vie. Chez Suzy, la maison close de la rue Grégoire-de-Tours, photographiée par Brassaï, son cher et familier Sphinx, avaient été bouclés mais le troupeau des respectueuses n'avait plus de sens pour lui. Les frères Goncourt écrivaient dans leur *Journal*, à propos des filles de joie et de leur impersonnalité : « Le moi disparaît d'elles, c'est-à-dire la conscience et la propriété de soi, à ce point que, dans les bordels, les filles prennent indistinctement avec les doigts dans l'assiette de l'une ou de l'autre : elles n'ont plus qu'une âme à la gamelle. » Alberto a été transporté dans un autre registre, celui de l'amour même. « Un seul être vous manque et tout est dépeuplé. »

Annette peut grincer des dents, Diego maugréer dans sa barbe, Caroline est devenue l'unique. Le 20 mai, elle reparut. À la Coupole, où elle était en train de commander son dîner, Alberto entra, accompagné de Pierre Matisse, qu'il abandonna sur-le-champ, pour la rejoindre.

Elle devint alors son modèle principal et se mit à poser la nuit. Les nuits. Les gémissements d'Alberto sur l'impossibilité de la peindre telle qu'il la voyait la laissaient péremptoire. Il en prenait bel et bien pour son plaisir. Il ne lui demandait rien d'autre que d'être elle-même. « J'étais son délire », dira-t-elle, dans un raccourci saisissant de leur passion.

Le longanime Diego n'en est que plus inquiet. La voiture de Caroline étant hors d'état, elle voulut une Ferrari. Alberto lui acheta une MG décapotable rouge. Caroline avait la frénésie de la vitesse, et Alberto aimait rouler vite, sans savoir conduire. Jean Leymarie gardait un souvenir inoubliable de Caroline arrivant au volant de sa voiture rouge sang. Devant faire une conférence sur l'art et la sexualité, Leymarie interrogea Picasso. « C'est pareil », asséna Picasso.

Le donneur d'ordres, pour Alberto, devient le bon plaisir de Caroline. Ils se rendent souvent dans un hôtel obscur de la rue Jules-Chaplain, Villa Camellia. Le goût de regarder caractérise les habitudes sexuelles d'Alberto et la présence d'un tiers, dans l'étreinte amoureuse, permet à l'impuissance de se transformer en cérémonie... L'argent est aussi une force charnelle d'envergure, moyen de possession qui se substitue à la libido défaillante, sur la scène érotique. Souvent cet échange peut se commuer en sperme. L'impuissance se colmate en plaisir réciproque, du donner-recevoir, indispensable double face du sexe. L'argent, moyen phallique de s'exaucer, l'un pour l'autre, l'un par l'autre. L'argent est là pour réparer, sinon à quoi bon en gagner ?

Quand, par le passé, Alberto avait des trous dans ses chaussures, cela le gênait beaucoup, mais depuis qu'il avait tout cet argent qui l'attendait à la galerie, ces trous il ne les sentait plus du tout, confie-t-il à l'épouse de Raymond Mason.

Libre comme l'air, Caroline est experte et sûre d'elle. Les vociférations d'Annette ont fait place à l'incantation. Pour rien au monde Alberto n'y renoncerait. Ébloui par Caroline, il n'est plus ambivalent. Il l'épie, la désire. Il la contemple.

Cet été-là, Yanaihara revint et reprit la pose de jour. Fasciné par Caroline, il la rejoint souvent avec Alberto aux heures les plus tardives, dans un bar ou une boîte. Annette ne peut cacher son amertume. La dépression couve en elle. Zozotte passe son temps à vitupérer et signe ses billets à Alberto, excédé, du nouveau surnom dont il l'affuble : « le bruit et la fureur ».

Giacometti fit une sculpture de Yanaihara avant son retour de l'automne au Japon. Le trouble initiatique, c'est Caroline qui le provoque.

De plus en plus

Alberto veut éperdument posséder une partie du corps de Caroline qui n'appartienne qu'à lui. Pas n'importe laquelle, bien sûr : il jette son dévolu sur l'espace rétro-malléolaire, juste au-dessus de son talon droit, là où le tendon d'Achille dessine deux creux. Caroline consent à le lui vendre. L'argent appartient au corps des amants.

Des voyous se sont présentés à l'atelier, prétendant que Caroline y passait trop de temps. Alberto a tout de suite compris de quoi il retournait et les a invités à se rendre avec lui au café du coin, où ils seraient plus à l'aise pour parler. Un prix fut fixé.

L'irrésistible besoin d'être le pourvoyeur de Caroline nourrit le fantasme d'Alberto et « le bruit et la fureur » d'Annette. À la fin de 1960, il achète à sa femme un petit appartement à trois minutes de Montparnasse, 3, rue Léopold-Robert – auquel Annette ne s'accoutumera jamais – et à Diego le pavillon et son bout de jardin, au coin de la rue Hippolyte-Maindron et de la rue du Moulin-Vert. Diego y vivra jusqu'à la fin de ses jours et je l'y rejoignis de nombreuses fois.

Quand on désire une femme, dormir avec une autre est très dur. La lampe allumée la nuit, les explosions de toux d'Alberto mettent Annette hors d'elle. Mais elle ne parvient pas à faire son maigre bagage.

À Caroline, sa reine, Alberto donne l'argent nécessaire pour qu'elle s'achète un vaste appartement avenue du Maine. Le vieil atelier d'Alberto, lui, ne verrait aucun changement.

Son ami Beckett lui confie le décor d'*En attendant Godot*, pour la reprise à l'Odéon, en mai 1961 : c'est un arbre unique, suggérant aussi qu'on peut se pendre à une de ses branches. Assisté de Diego, Alberto fit une création arborescente, en plâtre, puis se mit à la retoucher, interminablement. Entre lui et Beckett, l'insatisfaction rivalise : « Toute une nuit, nous avons essayé de faire cet arbre de plâtre plus grand ou plus petit, et de rendre ses branches plus minces. Ça n'était jamais tout à fait ça. Chacun de nous disait à l'autre : peut-être. » Un jour épuisé par leur dialogue de sourds, Diego ne voulant plus jouer au qui perd gagne fit venir un camion pour transporter l'arbre à l'Odéon.

Une scène de grande beauté va s'interposer, lors d'une séance de pose de Marguerite Maeght pour son portrait par Alberto. Ils sont tous les deux absorbés par cette tâche, quand Caroline pousse la porte de l'atelier. Alberto pose ses pinceaux et la fixe. Pas un mot n'est échangé, et Guiguite Maeght, interdite d'accès par le regard de braise que les deux se portent, se tient coite. Avec son instinct, infaillible depuis la charrette où elle vendait des légumes à la Rolls Royce qui la transporte aujourd'hui, elle sent bien l'appartenance des deux amants à une autre planète dont elle est exclue. Seuls au monde, pendant ces dix minutes après lesquelles Caroline repasse la porte et s'en va.

Le 2 juin, pour la quatrième et dernière exposition de Giacometti chez Maeght, la galerie connut un triomphe. Tout fut vendu en vingt-quatre heures. Vingt-quatre tableaux, vingt-deux sculptures, des natures mortes, des pommes, un paysage. Les portraits de Yanaihara, d'Annette, de Diego, de Mme Maeght, ne pouvaient détrôner l'acuité bouleversante des six visions d'une mystérieuse *Femme assise.* Caroline. Celle qu'Alberto appelait « la Grisaille » entrait dans la légende. Tout Paris contemple la nouvelle égérie.

Le prix Carnegie avait été attribué à la sculpture d'Alberto, à Pittsburgh, Paris découvre un immense peintre. La jalousie d'Annette est à son acmé. L'intruse à l'atelier étalée sur les murs, c'est un comble ! L'intensité des chefs-d'œuvre qu'elle inspire à Alberto détruit, défie son épouse. Non, elle ne se laissera jamais éclipser. En rage, elle ne peut combattre l'apparition.

Les quatre-vingt-dix ans d'Annetta approchent, et le 5 août 1961 toute la famille se réunit autour de la douairière de la montagne, à Stampa. Le repas eut lieu au Piz Duan. Alberto avait peint pour sa mère un bouquet de fleurs qu'elle suspendit au-dessus de son lit. Annette n'avait qu'une hâte, les quitter pour rejoindre Yanaihara, arrivé à Paris. Ce serait leur ultime été, car le Japonais ne reviendrait plus.

« L'air est un doux frisson des choses qui s'enfuient », écrit Baudelaire. Cuno Amiet, le parrain d'Alberto, le plus intime compagnon de son père, l'amoureux de

Gauguin, vient de mourir cet été-là, à quatre-vingt-treize ans. Son *Paysage au clair de lune* a bercé son enfance. Alberto va avoir soixante ans. Il a donné son accord pour exposer un ensemble de ses œuvres dans le pavillon principal, et aux préparatifs de Venise, où il se rend. Quarante-deux sculptures, quarante tableaux, des dessins sont confiés à Diego, comme d'habitude, pour agencer l'espace alloué. À la lumière de la lagune, Alberto devient infernal d'exigence, lui fait modifier patine sur patine. Il s'exécute. Les ouvriers de la Biennale sont italiens et considèrent les deux frères comme des leurs. Alberto veut un prix attribué *à la fois* à sa peinture et à sa sculpture, et martèle de son discours la table du Harry's Bar. Il y passe ses soirées, avec Pierre Matisse, Patricia et Clayeux. Diego, son travail achevé, va les planter là, deux jours avant l'ouverture, et rejoindre la mère à Stampa. Les discours et les obsessions continuelles d'Alberto lui portent sur les nerfs. Lui, si calme, se sent bouillir. L'inauguration ? De quoi, de qui ? De sa tâche invisible, toujours.

Caroline, dans sa voiture écarlate, a décidé de partir en Sardaigne. Foin de Venise ! Mais Alberto insiste pour qu'elle se rende au berceau de son initiation, à Paestum et Pompéi. Inculte, les sites antiques et leurs fresques la laissèrent indifférente, mais Priape, représenté sur une peinture dans le vestibule de la maison des Vettii, avec un pénis énorme, la fascina.

Son chien, ses perles – Alberto lui donne les plus belles – ses cartes griffonnées à la hâte, tout d'elle séduit Alberto. Il lui a dit un jour à propos d'une de ses lettres qu'il ne connaissait rien de plus beau. L'idylle va devoir résister à d'autres intempéries, car Caroline annonce à l'automne à Alberto sidéré qu'elle vient de se marier. Il s'agit d'un malfrat familier de la cabane, dont elle divorcera très tôt. Son mariage sera un feu de paille.

Annette se réfugie chez Olivier Larronde, de plus en plus exsangue entre la boisson et la drogue, retrouver Jean-Pierre Lacloche, son nouveau confident. L'appartement de la rue de Lille lui apparaissait comme un havre, elle ne pouvait se faire au sien et elle déménagea pour un autre, aussi petit, rue Mazarine. Le divan d'un psychanalyste récoltait ses innombrables doléances sans qu'elle apprenne à faire usage d'elle-même.

Alberto travaille d'arrache-pied. Sa grande rétrospective au Kunsthaus de Zurich couronne l'année 1962 et l'apothéose de l'enfant du pays. Quarante cigarettes par jour, d'innombrables cafés, les accès d'Annette décuplent sa fatigue, et des maux brûlants d'estomac le ravagent. Reste l'amour sorcier, sa magie blanche, sa magie noire. Diego connaît trop bien son frère pour ignorer qu'il est un forçat de la fatalité. « Méfie-toi », lui répète-t-il. « Je ne sais qui je suis, ou qui j'étais. Je m'identifie et je ne m'identifie pas avec moi-même. Tout est totalement contradictoire, mais peut-être suis-je demeuré exactement tel que j'étais petit garçon à douze ans », affirme Alberto.

Aristophane disait-il mieux ? Chaque homme était une sphère puis Zeus les coupa en deux. La mendiante Pauvreté, passant par là pour ramasser les miettes, se fit faire un enfant par le dieu Poros, endormi « ivre de nectar » dans le jardin de Zeus : ainsi naquit le rejeton Amour, pauvre par sa mère, avide du bon et du beau par son père Éros, et son manque serait l'intermédiaire acharné entre les dieux et les mortels.

Un soir à Londres, où Alberto s'était déplacé en vue de sa future grande exposition à la Tate Gallery, Isabel l'invita à dîner dans un restaurant avec Bacon et l'amant du peintre, George Dyer. De plus en plus soûl, Bacon s'était lancé dans un monologue incohérent sur la peinture et, n'obtenant d'Alberto qu'un « Qui sait » ? désabusé, se mit à tirer sur le coin de la nappe, provoquant la chute de tous les couverts et les verres sur le sol. Enchanté, Alberto poussa des petits gloussements de rire, entre deux quintes de sa toux chronique.

L'échéance

Reto Ratti, originaire de Maloja, faisait un stage de médecine à l'hôpital Broussais, rue Didot, et passait souvent voir les deux frères. Devant la mine patibulaire d'Alberto, il insista pour qu'il consulte.

Alberto se rendit chez son vieux complice le docteur Fraenkel, qui pour une fois, devant ses douleurs pressantes de l'estomac, ne lui prescrivit pas d'aspirine mais une visite à un chirurgien.

Ainsi fut fait. Le docteur Leibovici était toujours en activité dans la clinique Rémy-de-Gourmont, où il avait soigné Alberto et plâtré son pied fracturé. Il diagnostiqua très vite, à partir des clichés de l'estomac et de l'intestin, que son célèbre patient avait un cancer. Le connaissant, il jugea bon de ne pas l'angoisser davantage et lui parla, clichés en main, d'ulcère gastrique. L'intervention s'imposait.

Alberto se précipita chez Fraenkel, et lui fit jurer sur la tête de sa mère et de sa femme que ce n'était pas un cancer. Le docteur Corbetta, de Chiavenna, devenu le médecin d'Annetta et ayant pris en charge toute la famille, était de passage à Paris et alla voir Leibovici.

La gastrectomie du 6 février 1963 contraignit le chirurgien à enlever les quatre cinquièmes de l'estomac. L'opération dura trois heures, le trois maudit d'Alberto. Diego affolé, car Fraenkel l'avait prévenu, avait jugé nécessaire d'en faire part à Annette, Bruno, Pierre Matisse et les Maeght.

Une fois la tumeur enlevée, Alberto réagit bien et son teint s'éclaircit. Il avait apporté à l'hôpital dans une boîte en bois une figurine enveloppée de chiffons humides et la sortait pour toucher la glaise. Sa robe de chambre de laine, la première de sa vie, disait-il à ses visiteurs, l'enchantait. Leibovici recommanda une grande régularité, un régime et l'arrêt du tabac. Il ne lui fallait ni fatigue ni anxiété.

« Continuez à fumer », lui dit l'inégalable Fraenkel. Alberto passa trois semaines de convalescence à l'hôtel de l'Aiglon, plus confortable que son logis, désireux de rejoindre Stampa au plus tôt. Il tenait ardemment à faire un portrait de sa mère.

Il partit avec Annette par le train de nuit pour Milan. Un taxi les conduirait à Stampa, et, passant par Chiavenna à l'heure du déjeuner, ils s'arrêteraient chez le docteur Corbetta, trop heureux de les recevoir.

Les effusions ne manquèrent pas. « Après toutes ces inquiétudes, insista Serafino Corbetta. – Quelles inquiétudes ? » s'enquit Alberto, dont la ténacité ne lâcherait pas facilement sa proie. Il flairait l'imposture. « Si vous ne me dites pas la vérité, je m'en vais à l'instant et vous ne me reverrez plus jamais. » L'âpreté d'Alberto pouvait être sans merci.

Le médecin cauteleux ne s'y risquerait pas. Devant l'insistance vampirique d'Alberto, il bafouilla et perdit contenance. Puis il lui montra la lettre que Leibovici lui avait envoyée : une rechute n'était pas écartée.

Fraenkel, son ami de trente ans, avait osé falsifier la vérité. Sa vérité, c'était ce à quoi Alberto tenait le plus au monde. Chacun des instants à venir de sa destinée prenait un prix incommensurable, insoupçonné. Pris entre la fureur et la lucidité, Alberto tenta de se calmer avant d'arriver chez sa mère. Il ne fallait surtout pas l'inquiéter.

Annetta fut soulagée de lui voir enfin un teint plus frais. Alberto attendit vingt-quatre heures pour téléphoner à Fraenkel et lui signifier qu'il avait trompé sa confiance. Ce serait à jamais fini entre eux. Fraenkel allait mourir quelques mois plus tard d'une hémorragie cérébrale. « Je suis content qu'il soit mort avant moi », dit Alberto.

Une autre rupture, implacable, va survenir dans la vie de l'artiste. On sait quelle amitié le liait à Sartre, leurs interminables conversations dans les cafés dont l'écrivain fit son miel. Sartre lui avait consacré un texte, *La Recherche de l'absolu,* dans le catalogue de sa toute première exposition à New York à la galerie Pierre Matisse. « Dans l'espace, dit Giacometti, il y a trop. Ce trop, c'est la pure et simple coexistence de parties juxtaposées. La plupart des sculpteurs s'y sont laissé prendre… Lui sait que l'espace est un cancer de l'être, qui ronge tout; sculpter, pour lui, c'est dégraisser l'espace, c'est le comprimer pour lui faire égoutter toute son extériorité.» Puis Sartre publiera un article sur ses peintures dans les *Temps modernes* : «Le réel fulgure».

La réaction d'Alberto au nouveau livre de Sartre, *Les Mots,* lui donne la nausée. Comment? Sartre osait s'emparer d'un des accidents les plus signifiants de sa vie, en falsificateur : «Il y a plus de vingt ans, un soir qu'il traversait la place d'Italie, Giacometti fut renversé par une auto. Blessé, la jambe tordue, dans l'évanouissement lucide où il était tombé il ressentit d'abord une espèce de joie : "Enfin quelque chose m'arrive"! Je connais son radicalisme : il attendait le pire; cette vie qu'il aimait au point de n'en souhaiter aucune autre, elle était bousculée, brisée peut-être par la stupide violence du hasard. «Donc, se disait-il, je n'étais pas fait pour sculpter, pas même pour vivre; je n'étais fait pour rien.»

Le sang d'Alberto ne fit qu'un tour : lui, fait pour rien! Lui qui avait donné un sens, une directive, à chaque échelon de sa vie. Tout le monde savait que son accident avait eu lieu place des Pyramides, et non pas place d'Italie! Ce jongleur avec le destin des autres, le philosophe à l'œil torve, l'avait défiguré.

Et Sartre de poursuivre :

«Ce qui l'exaltait, c'était l'ordre menaçant des causes tout à coup démasqué et de fixer sur les lumières de la ville, sur les hommes, sur son propre corps plaqué dans la boue le regard pétrifiant d'un cataclysme : pour un sculpteur le règne minéral n'est jamais loin. J'admire cette volonté de tout accueillir. Si on aime les surprises, il faut les aimer jusque-là, jusqu'à ces rares fulgurations qui révèlent aux amateurs que la terre n'est pas faite pour eux.

« À dix ans, proclame Sartre, je prétendais n'aimer qu'elles. Chaque maillon de ma vie devait être imprévu, sentir la peinture fraîche. »

C'en était trop. Désormais, il n'aurait plus rien à voir avec cet escroc de la vérité. Sartre eut vent de son indignation et téléphona à l'atelier. Alberto refusa de lui parler. Ni lui, ni Simone de Beauvoir, qui dans son autobiographie avait affublé Alberto d'une brouette pour mieux jeter ses œuvres dans la Seine, ne poseraient plus pied dans son intimité. Truman Capote les fait réapparaître, affalés au bar du Pont Royal : « Un œil noyé, l'autre à la dérive, ce louchon de Sartre, pipe au bec, teint terreux, et sa taupe de Beauvoir, sentant la jeune fille prolongée, généralement calés, dans un coin comme deux poupées de ventriloque abandonnées… » Inflexible, Alberto se détourna. Les ponts étaient coupés.

La famille se retrouva à Stampa, au chevet de la mère. C'était janvier et son obscurité profonde où sombrait la vallée. Odette et son bon cœur s'affairait. Annetta somnolait dans le brouillard de sa conscience, puis elle les vit tous autour d'elle. « Qu'est-ce que vous faites ici » ? Alors elle laissa tomber ce mot admirable : « Sceptiques » !

Elle s'éteignit à six heures du soir le 25 janvier 1964. Giovanni l'attendait sous la pierre depuis trente ans. Alberto avait perdu sa mère, l'impérissable Annetta, taillée dans le roc, comme lui.

Il se précipita dans l'atelier, son abri de toujours, puis il prit la voix de sa mère quand elle l'appelait et fit retentir son cri :

« Alberto, viens manger ! Alberto, viens manger » ! Annette se précipita, croyant que son mari avait perdu la tête.

Des bustes admirables d'Annette, égarée, virent le jour, d'autres de Diego, résigné. Caroline, libre comme l'air, venait chercher ses liasses. De sombres individus se mirent à suivre son sillage. Alberto, inquiet, restait prêt à tout pour ne pas perdre sa déesse. Un après-midi, quand il revint, l'atelier, sens dessus dessous, avait été vandalisé. Rien ne manquait, mais c'était un avertissement. Il en parla à son ami Leymarie. « Je suis coincé. Coincé », répéta-t-il. Puis il se confia à Clayeux, qui suggéra une protection policière discrète. C'était impossible. « Qu'ils cassent tout si ça leur chante ! gronda Alberto avec sa pugnacité habituelle. C'est autant de peine qu'ils m'épargnent, car il n'y a rien à préserver ici. » Mais Alberto prenait peur, sinon pour lui, pour Diego. Diego, son rempart, exposé à ces malfrats. Cette seule idée lui soulevait le cœur.

Paris sans fin

Tériade avait enfin obtenu d'Alberto son consentement à une publication rassemblant cent cinquante lithographies originales.

Paris, son Paris. Sur le frontispice, une femme nue plonge dans l'espace. La ville est nue, elle aussi, et c'est une femme pour Alberto. On ne saurait rêver pénétration plus secrète dans le Paris d'Alberto : sa liaison avec la ville, son *Reflet dans un œil d'or*. Diego, Annette, Caroline, la tour Saint-Jacques, les ponts sur la Seine, le quai Montebello, Notre-Dame, les filles de chez Adrien, transfigurent son errance dans la ville qui lui a donné le plus au monde. Son jour après jour, ses nuits après nuits, ces tables chargées de livres, les terrasses de café, les arbres. L'atelier de Mourlot, l'imprimeur des lithographies, les bars, les hôtels, des salles du Muséum et les squelettes debout dans la pénombre. «Soir de novembre dans les allées désertes du Jardin des Plantes, tout le paysage déjà noir…» Lui, «traînant de fatigue à regret vers la sortie». L'insaisissable, toujours. «Tout ce que j'avais raté et les grandes verrières qui brillaient encore des dernières lueurs du jour, striées par les boules noires de la structure.» L'appartement d'Annette, rue Mazarine, de Caroline. Son corps : le trou dans la gorge, le tuyau de la gastroscopie, lui «comme un veau, la tête renversée, les dents serrées, se sentir comme une bête beuglante, plaisir»… L'ami Stravinski, l'horloge dans la rue, le poêle de l'atelier. Son labyrinthe intime, celui dans lequel il a déambulé. Le crayon lithographique ne revient pas sur son trait. C'est un nouveau monde pour Alberto qui refait tout le temps. Ne pas avoir à se reprendre, quelle liberté !

Les soirs, les aubes, les chambres d'hôtel jaillissent dans leur fugitif, leur point de fuite, allégés de cet être qui se dérobe. Un arbre lui suffit, deux l'angoissent, aimait-il à dire.

«Il me semble infiniment loin le jour où vers le soir en venant de chez Mourlot, la rue Saint-Denis, le ciel clair, la rue comme une pente entre des falaises noires, hautes et déjà noires et le ciel jaune, le ciel jaune du soir je me suis vu, impatient d'y être, dessinant au plus vite tout ce qui frapperait mon regard et cela partout et toute la ville qui devenait soudainement un immense inconnu à courir, à découvrir, cette richesse illimitée partout, partout.» L'émergence, en lieu d'hypnose, son approche hypnotique des portraits.

Il s'est vu, il se voit, il vit. Tel Malaparte qui titrait ses nouvelles *Cane come me, Donna come me, Citta come me*, il se vit en chien, en femme, ou en ville. Malaparte, accablé, manquait de tout et le chien arrive à vivre pour lui, en sentant la montagne avec son flair, la lui redonne. Comment oublier ce chien étonnant d'errance, de misère et de flair, dont Alberto a fait son autoportrait? Hâve, affamé, ce chien c'était lui.

Un autre célèbre marcheur, le distilleur de whisky Johnny Walker, fascinait Alberto. «Plus d'une fois, rapporte Mason, buvant avec Giacometti, je le voyais fixer avec un œil lourd la figurine de Johnnie Walker sur l'étagère du bar. "Voici comment il faudrait faire la sculpture", disait-il toujours.»

Alberto, dans sa fièvre, ne se consume pas. «Quand je me balade, je ne pense jamais à mon travail», confie Alberto à Genet. Lui que le monde entier connaît, ou ne connaît pas, marche avec le temps, contemporain, *contemporeanus cum tempus*. «Avec le temps, va, tout s'en va», chante Léo Ferré. Mais Alberto s'expose de tout son corps à Paris, son laissez-passer, son secret: arrondissements superposés, interchangeables, périphériques intérieurs de ses nouveaux commencements et ses recommencements. Il puise sa trace, toute de larmes et de rapacités, poursuit son osmose avec la ville. Faire un avec elle l'ensemence, rien ne s'en va.

A-t-il rampé, guetté, traversé, émergé, fait son trou dans l'invisible et le visible de Paris ? Ses premiers pas, ses derniers pas, se mêlent, se reconnaissent. La bande originale de sa vie se déroule ici dans la nuit tétanique, depuis toujours à toujours... Qui l'éclaire ? Quelle phalène aux ailes délicates le précède ? Il aime tant cette toile de Balthus, *la Phalène*, femme nue allumant une lampe à huile contre le noir. Alberto marche.

Pourtant le temps menace, fantôme béant. Il hantait Baudelaire, de la belle aube au triste soir, et Mandelstam tressaillait de son bruit et de sa germination :

« Les bourgeons gonfleront encore,
Les pousses vertes jailliront
Mais brisées sont tes vertèbres
O mon beau, mon triste temps ! »

Alberto marche. Et puis, quelle qu'ait été sa nuit, blanche, fauve, ou déserte, il « rentre » à l'atelier : l'atelier, son abri, sa grotte de montagne scelle pour lui la naissance du jour. Ses statues, ses vestales, le guettent. Et son lendemain, sa fleur humaine, son intarissable métamorphose. « Chez l'homme aussi, écrit Rilke, il y a maternité, me semble-t-il, charnelle et spirituelle : procréer est chez lui une manière d'enfanter et il enfante quand de sa plus interne plénitude, il crée. »

Son atelier, il a besoin de s'en extraire, pour de longues évasions nocturnes. Bientôt il ne sera plus que l'orant, l'amant de sa tâche. Genet, se baissant pour ramasser son mégot, découvre sous la table la plus belle statue de Giacometti : «Elle était dans la poussière, il la cachait, le pied d'un visiteur maladroit risquait de l'ébrécher…» Mais Alberto connaît la chanson… «Si elle est vraiment forte, elle se montrera, même si je la cache.»

Toutes les vieilles bouteilles d'essence encombrent la table, la poussière les recouvre; au milieu, sa palette, la flaque de boue de ses différents gris. Ce minuscule lieu, bourré de vie, fait tabernacle. Genet se saisit du mystère, tant chéri depuis sa petite enfance, quand il servait la messe, enfant de chœur étourdi par les chasubles violettes, les lis d'émail blanc des candélabres dorés, l'encens et le cérémonial de l'hostie, avant de perdre la foi et de découvrir que les oripeaux du culte étaient vides. Mais il gardera à vie le sens du sacré. «Une de vos statues dans une chambre et la chambre est un temple,» dit-il à Alberto, toujours inquiet, qui marmonne : «et vous croyez que c'est bien?»

Passage des mains de Giacometti à la masse de terre : il fait affleurer l'être. Limon vertigineux d'une femme-cime, dénudée, proche, tendre et cependant si lointaine. Distance et proximité, l'irréductible va-et-vient, son pas dans la vie même. «Qu'a-t-il donc dû vaincre, Giacometti, et de si menaçant?» L'acuité bouleverse, fait voyance : «Tant il semble, écrit Genet, que cet artiste ait su écarter ce qui gênait son regard pour découvrir ce qui restera de l'homme quand les faux-semblants seront enlevés.»

Le portrait de James Lord

«Fais voir», dit-il à James Lord, dont il commence le portrait. Le gentleman posé sur sa chaise va en voir de toutes les couleurs. En quelques secondes, le regard de lynx d'Alberto jauge et dépèce sa proie. «Tu as une tête de brute… Tu as l'air d'un vrai voyou. Si je pouvais te peindre comme je te vois et qu'un flic voie la toile, il t'arrêterait immédiatement.» L'écrivain qu'est James Lord, dans *Un portrait par Giacometti*, nous rend les tics et les vérités d'Alberto Giacometti comme personne. La litanie se déroule suivant le même rituel. «Près d'une heure s'était écoulée. Il semblait éviter désespérément le moment où il devrait s'attaquer à quelque chose de neuf. Il ressent de façon si poignante la difficulté de rendre visible aux autres sa propre vision de la réalité qu'il perd forcément courage quand il est contraint de s'y atteler une fois de plus. Aussi remet-il aussi longtemps que possible le geste décisif de commencer.

«En fin de compte, il mit son chevalet en place et posa auprès un petit tabouret dont il ajusta soigneusement les pieds de devant à deux marques rouges peintes sur le ciment de l'atelier. Il y avait des marques semblables destinées aux pieds de devant de la chaise du modèle qu'il m'invita à mettre en place avec une égale précision.»

James Lord ne croisa pas les jambes pour éviter l'engourdissement, les laissa écartées, les pieds sous la chaise, ses mains tombées naturellement : il avait d'instinct retrouvé la pose même de Jean Genet. Yeux dans les yeux avec Alberto, sinon il réclamait par un «regarde-moi»! ou un «hé» retentissant.

Beyeler, passé par l'atelier lors de la deuxième séance, trouva le portrait superbe. Alberto répliqua : « Attendez un peu. Je vais le foutre en l'air. »

Bientôt, il allait maugréer : « Ça va tellement mal que ça ne va même pas assez mal pour qu'il y ait de l'espoir. » Mais il travailla, obstinément, jusqu'à ce qu'il fasse presque nuit. Lord le laissa au café, tassé sur lui-même, ne lisant pas les journaux du soir qu'il venait d'acheter.

Rendez-vous était pris pour le lendemain. Ce seraient tous les lendemains.

« J'ai remarqué non seulement que, de face, tu as l'air d'une brute, mais que ton profil est un peu dégénéré.

« Il rit franchement et ajouta :

« – De face, tu vas en prison ; de profil tu finis à l'asile. »

Ils rirent tous les deux, mais Alberto restait accablé :

« Voilà trente ans que je perds mon temps. La racine du nez me dépasse, je n'ai aucun espoir de jamais en venir à bout… »

James Lord va devoir remettre son départ pour l'Amérique, sans se douter qu'il y sera acculé de nombreuses fois. Conscient de l'anxiété de Giacometti, il l'entend éclater « sous la forme de halètements mélancoliques, de jurons furieux, parfois même de hurlements de rage ou de détresse ». Parfois, il le voit s'affaisser, la tête dans les mains. « Bientôt il se mit à haleter très fort en gardant la bouche ouverte et en tapant du pied.

« – Ta tête s'en va, s'écria-t-il. Elle s'en va tout à fait… Demain ça viendra. J'ai atteint le pire à présent. Demain, c'est dimanche. Très bien. Le pire sera pour demain. »

L'engrenage des innombrables métamorphoses du tableau butait toujours sur la même déclaration d'Alberto : « Il faut tout abolir de nouveau. Il n'y a rien d'autre à faire. » Son grand cri rauque retentissait : « J'en crèverai ! »

L'interminable lutte lie les deux protagonistes dans un défi intime sans rémission, exaltant et terrifiant. Parfois Alberto décide : « Il y a une ouverture. » Jusqu'au jour qui tombe, où l'atelier gris sombre.

« Penses-tu jamais à ta jeunesse avec nostalgie ? l'interrogea James Lord.

– Non, répondit-il, c'est impossible, parce que ma jeunesse, c'est maintenant. »

Alberto accompagna Lord dans le taxi pour l'aéroport. C'était un jour gris et froid, et il n'avait jamais vu la nouvelle gare aérienne. Il proposa d'aller prendre un café au bar. « Son index allait et venait, à la manière d'un crayon, sur le formica brillant de la table en faisant le geste insistant de dessiner. » Il ne pouvait y avoir d'adieu entre eux, désormais. Ils s'écrivirent.

Destinée

Les nuits louches ont remis Alberto dans les pas du photographe indigent Élie Lotar, devenu alcoolique, au Dôme ou chez Adrien. Son père de quatre-vingt-cinq ans, célèbre en Roumanie lui pèse-t-il encore, à ce fils illégitime ? Quel gâchis quand on songe à certaines photos magiques de Lotar, celles des abattoirs de la Villette, zoo de la mort, cruel et prodigieux. L'abattoir aux animaux prenait l'inquiétante étrangeté d'un lieu mythologique, série de pattes coupées et rangées en ordre, et un peu plus loin des jambes de femme coupées par un rideau de scène au Moulin-Rouge.

Il va devenir le modèle d'Alberto, et passe pour un oui pour un non à l'atelier se faire prêter de l'argent. Après tout il l'informe sur Caroline, qu'il traque. Souvent il assiste à ses poses nocturnes pour Alberto, puis les accompagne dans leurs bars.

Alberto le scrute, jusqu'au fond de son échec. Le parasite devient Pietà. Il sera sa vision ultime. Alberto disait : « Pour Michel-Ange, avec la *Pietà Rondanini*, sa dernière sculpture, tout recommence. Et pendant mille ans Michel-Ange aurait pu continuer à sculpter sans se répéter, sans revenir en arrière, sans jamais rien finir, allant toujours plus loin... » Bientôt c'est Alberto qui passera sur l'autre berge.

De grands événements se préparent. Alberto n'a toujours pris aucune disposition testamentaire. Après tout, ses deux parents étaient morts intestats. Et Alberto a toujours eu horreur d'être pris au lasso.

Ernst Beyeler a exposé, dans sa galerie de Bâle, l'ancienne collection de Thompson, auquel il a acheté ses Klee et ses Giacometti.

Aimé Maeght décida que la cour centrale de sa fondation, à Saint-Paul-de-Vence, serait entièrement consacrée à un groupe de sculptures de Giacometti. Alberto s'était spontanément retiré de la compétition pour la Chase Manhattan Plaza, trop conscient d'un espace qu'il n'avait jamais vu. Plusieurs de ses grandes sculptures conçues pour le projet américain furent installées à Saint-Paul, en lieu et place de Manhattan, ainsi que des *Femmes de Venise*.

La grande soirée de l'inauguration se fit le 28 juillet 1964, sous les étoiles. André Malraux se lança dans une de ses odyssées lyriques entre les pharaons, Byzance et la cour du Roi-Soleil. Alberto marmonna entre ses dents : « Il parle comme un taureau. »

Maeght entonna son allocution solennelle, et ses remerciements. Alberto ressentit comme une outre-cuidante omission l'absence, dans cet éloge, du nom de l'artisan permanent de toute cette parade, Clayeux. Ses efforts acharnés étaient jetés aux oubliettes. L'outrage mortifiait son défenseur de toujours et son ami.

Le lendemain, Alberto se rendit avec Annette chez Pierre et Patricia Matisse, dans leur luxueuse villa du Midi, La Punta et déclara : « Si Clayeux part, je pars. » Ce qu'il fit. Au retour de Clayeux, de Grèce où il était allé prendre quelques jours de vacances pour réfléchir, sa décision de se séparer de Maeght, le maître du marché de l'art, était irréversible. Aucun artiste de la galerie ne la quitta. Sauf Alberto.

Il écrivit une longue lettre à Aimé Maeght, annonçant son départ. Diego se trouvait à Zurich, afin de décorer le fameux Kronenhalle, dont tout le bar lui était confié : ses tabourets, ses guéridons et ses pieds de lampes en laurier sont devenus un culte. Alberto lui téléphona et Diego, toujours calme, lui dit d'attendre son retour le lende-main. Peine perdue, Alberto envoya sa lettre semant la panique chez les Maeght et n'en démordit pas.

Diego était devenu le sculpteur préféré de Guiguite : ses tabourets de bar, ses fauteuils, ses tables peuplaient la fondation de leur floraison. Elle raffolait de lui et Diego, dans sa pudeur et son besoin violent d'être reconnu, lui vouait une vraie affection. Mais il ne put renverser la bourrasque : Alberto resta intraitable. Pierre Matisse devenait le seul maître à bord.

Trois bustes de Lotar se succédèrent, où la fatalité l'emporte sur l'endurance. Poignante réalité dont Alberto s'est rendu le maître. Le nid des ongles enfoncé dans la glaise, il recommence.

La Tate en 1965, à Londres, réunissait sa rétrospective du premier buste de Diego à un buste récent de Lotar. Alberto se rendit préparer l'installation de ses sculptures avec Diego et Clayeux. Sans se soucier de la rétrospective, Caroline fit une apparition insolite au St Ermin's, l'hôtel où logeaient les Giacometti, et Diego s'alarma.

Ces toiles bouleversantes où elle rayonne, René Char les célèbre : « En cette fin d'après-midi d'avril 1964 le vieil aigle despote, le maréchal-ferrand agenouillé, sous le nuage de feu de ses invectives (son travail, c'est-à-dire lui-même, il ne cessa de le fouetter d'offenses), me découvrit, à même le dallage de son atelier, la figure de Caroline, son modèle, le visage peint sur toile de Caroline – après combien de coups de griffes, de blessures, d'hématomes ? – fruit de passion entre tous les objets d'amour. »

Caroline ne vit pas ses huit portraits suspendus à la Tate Gallery et disparut comme elle était venue. L'inauguration fut triomphale.

J'aimerais rapporter un propos de René Char, dont je fus très proche, sur Caroline. Il la connaissait et elle lui confia que sa plus belle nuit d'amour, elle l'avait passée avec Alberto. Anxieux de la voir, depuis Stampa chez la mère, où il n'était évidemment pas question de la faire venir, il la rencontra à la gare la plus proche. Toute la nuit, ils marchèrent le long de la voie ferrée. « Ce fut ma plus belle nuit d'amour », dit-elle à René Char. Depuis leur première nuit, où ils avaient parlé tout le temps, le verbe magique les irradiait…

La rétrospective au musée d'Art moderne de New York attendait Alberto. Il fut décidé qu'il arriverait début octobre, et se refusant à prendre l'avion, partirait avec Annette sur le *Queen Elizabeth*. Pierre Matisse et Patricia les accompagneraient à l'aller, ils reviendraient tous deux sur le *France*, huit jours plus tard.

Alberto parcourut à la hâte les grands musées de New York. « Je ne suis plus en bons termes avec Rembrandt, en ce moment, les musées c'est fini pour moi. » Mais ce qui le passionna fut de se rendre à la place devant la Chase Manhattan Bank… La sculpture n'avait pas encore été sélectionnée, et il y revint plusieurs fois, de jour comme de nuit. Dès son retour à Paris il demanderait à Diego de lui construire une armature, d'une hauteur hallucinante, la plus grande qu'il eût jamais faite.

Alberto repartit encore plus gris, hagard face à l'océan. « Impossible de se concentrer sur quoi que ce soit, la mer envahit tout, elle est pour moi sans nom bien qu'on l'appelle aujourd'hui l'Atlantique. Pendant des millions d'années elle n'avait pas de nom et un jour elle n'aura plus de nom, mer sans fin, aveugle, sauvage, comme elle est pour moi aujourd'hui. Comment parler ici de copies d'œuvres d'art [on lui avait demandé une introduction pour un livre à paraître sur les copies qu'il avait faites d'œuvres, à commencer par son cher *Le Chevalier, la mort et le diable* de Dürer] d'œuvres d'art éphémères et fragiles qui existent par-ci par-là sur les continents, se défont, s'étiolent, se délabrent jour après jour et dont beaucoup, et parmi celles que je préfère, étaient déjà ensevelies, enfoncées sous le sable, la terre et les pierres. Et toutes suivent le même chemin. »

Il avait adoré, enfant, le Dürer si lié à son éveil dans l'atelier de son père, puis toute sa vie le petit Van Eyck de la National Gallery avec le turban rouge, dont il confiait : « Il me semble plus proche d'une tête que je vois que tous les portraits grandeur nature qu'on a faits depuis. »

Il dit aussi de son cher Louvre, où tableaux et sculptures lui donnaient une impression sublime : « Je les aimais dans la mesure même où elles me donnaient plus que ce que je voyais de la réalité. Je les trouvais belles et bien plus belles que la réalité même. Aujourd'hui, si je vais au Louvre, je ne peux pas résister à regarder les gens qui regardent les œuvres d'art. Le sublime aujourd'hui pour moi est dans les visages plus que dans les œuvres... À tel point que les dernières fois que je suis allé au Louvre, je me suis enfui, littéralement enfui. Toutes ces œuvres avaient l'air si misérable – une assez misérable démarche, si précaire, un approchement balbutiant à travers les siècles, dans toutes les directions possibles, mais extrêmement sommaires, primaires, naïves, pour cerner une immensité formidable, je regardais avec désespoir les personnes vivantes. Je comprenais que jamais personne ne pourrait saisir complètement cette vie... »

Sa confidence de voyage se fait poignante : « J'ai à peine regardé la mer depuis que j'ai vu, il y a deux jours, l'extrême pointe de New York se dissoudre, disparaître, fine, fragile et éphémère à l'horizon, et c'est comme si je vivais le commencement et la fin du monde. Une angoisse serre ma poitrine, je ne sens que la mer qui m'entoure, *mais il y a aussi le dôme, la voûte immense d'une tête humaine.* » Trois mois plus tard, il serait mort.

À peine rentré, il repartit pour Copenhague, où un musée reprenait la rétrospective de Londres. Le voyageur de Stampa, son itinéraire unique durant de si longues années, venait d'accomplir trois voyages lointains. À Paris, Caroline attendait de poser et d'en avoir pour son argent. Lotar gangrénait aussi l'atelier. Olivier Larronde, le poète devenu travesti et errant, fut trouvé mort à la Toussaint 1965. Jean-Pierre Lacloche le fit enterrer à côté de son idole, le poète Mallarmé, dans le petit cimetière proche de Fontainebleau. Alberto accompagna sa dépouille et alla jusqu'au bord de la fosse regarder fixement les pelletées de terre recouvrir son jeune ami : Olivier n'avait que trente-huit ans.

À la fin de novembre, Alberto avait accepté de se rendre, sur l'invitation de son marchand suisse et ami Eberhard Kornfeld, à Berne, pour y recevoir un doctorat honoraire de l'université. Il se sentait épuisé, mais il prit le train. À l'arrivée, il pleuvait des cordes. Alberto crut recevoir un coup de massue dans la poitrine en descendant sur le quai, fit tomber sa valise et s'assit dessus. Pas de Kornfeld, qui s'était trompé de quai. La voie avait été changée à la dernière minute et il le trouva enfin.

Odette, sa belle-sœur, l'accompagna tout le long des cérémonies, inquiète de le voir si épuisé. L'alerte était troublante. « Ça m'embêterait beaucoup de mourir maintenant… J'ai encore tant à faire », dit Alberto.

De retour à Paris, il griffonnait sans succès sur *Paris sans fin*. Où était son errance, quand il s'immergeait dans la ville ? Il se laissait tomber ensuite dans le premier taxi et entendait le « Vous rentrez ? » du chauffeur car ils connaissaient tous son adresse.

« Le silence, je suis seul ici, dehors c'est la nuit, tout est immobile et le sommeil me reprend. Je ne sais ni qui je suis ni ce que je fais ni ce que je veux, je ne sais si je suis vieux ou jeune, j'ai peut-être quelques centaines de milliers d'années à vivre jusqu'à ma mort, mon passé se perd dans un gouffre gris, j'étais serpent et je me vois crocodile, la gueule ouverte ; c'était moi, le crocodile rampant la gueule ouverte. Crier et hurler que l'air en tremble ; et les allumettes de loin en loin par terre comme des bateaux de guerre sur la mer grise. »

Comment ne pas évoquer les palais d'allumettes qu'il construisait avec Denise, prompts à s'effondrer ? Il se vit serpent, après s'être reconnu dans un chien errant. René Char écrivait du serpent, l'un de ses *Quatre Fascinants*, avec le taureau, la truite et l'alouette : « prince des contresens ». Alberto le fut. Mais crocodile, rampant pour sa proie ? La gueule ouverte rappelle étrangement les visions de cadavres qui ont martelé sa vie. La peau ravinée d'Alberto le rapproche-t-elle du crocodile ? La mâchoire de férocité sur le gnou frémissant ne le cède en rien à la proie vive de l'artiste.

Il lui fallait repartir faire un bilan à l'hôpital de Coire. Les derniers soirs, il les passa avec Caroline, la fit encore poser : sa Caroline blasonnée à la cheville droite de son

241

rêve de possession, tout contre son tendon d'Achille…
Ils dînèrent avec Lotar et finirent très tard à Montparnasse. Le dernier samedi, Alberto alla faire quelques achats de fourniture : les pinceaux fins fabriqués spécialement par Lefebvre-Foinet, le marchand de couleurs le plus célèbre et le plus ancien de Montparnasse. « Pendant qu'il peint, avait noté Yanaihara, il tient, avec la palette, presque dix pinceaux dans la main gauche, sans cesser de se maudire lui-même : "Évidemment, ce n'est pas le pinceau, mais moi-même qui suis mauvais." »

Dans le taxi qui le ramenait à l'atelier, longeant le cimetière de Montparnasse, James Lord rapporte : « Alberto se martela le genou avec le poing et s'écria :
« – Ça paraît impossible !
« – Quoi donc ?
« – Faire une tête comme je la vois. Ça paraît impossible. Pourtant, avant demain, il faut que j'y parvienne. »

Alberto passa sa soirée avec Caroline et Lotar. Ils se quittèrent à quatre heures du matin. Alberto travailla un peu, ce dimanche après-midi, sur le buste de Lotar, et Diego suggéra de le mouler en plâtre. Avec le froid qui sévissait dans l'atelier non chauffé, la glaise risquait d'éclater. « Non, dit Alberto, je ne l'ai pas terminé. »

À dix heures du soir, Diego l'accompagna prendre son train gare de l'Est. Ce serait la fois ultime.

La dernière scène

À l'hôpital cantonal de Coire, une chambre lui fut attribuée au dernier étage. Son balcon étroit donnait sur les montagnes. Montagnes célestes... Les arbres nus de l'hiver et les toits de Coire s'étendaient à leurs pieds.

Alberto présentait des signes visibles d'insuffisance cardiaque, et l'oxygène lui fut immédiatement prescrit avec de la digitaline. Il n'y avait pas de rechute de son cancer, et de sa voix rugueuse, Alberto téléphona gaiement aux siens.

Diego vint, puis Caroline. Son état empira, peu avant Noël. Furieuse de devoir se rendre à Coire, Annette projetait de rejoindre Vienne, où un ami poète l'attendait pour lui tenir la chandelle. Le temps était glacial, et elle se réfugiait dans les bars et les cafés. Alberto en eut vent et lui fit la remarque qu'elle n'était pas à Montparnasse. Cris et grincements de dents recommencèrent, portes claquées, ce qui déplut souverainement au personnel soignant.

Diego reprit le train de nuit pour passer une journée auprès de son frère. Sa mine cireuse l'effraya. Il appela Patricia Matisse, qui joignit son mari encore en Amérique pour lui dire de se hâter.

Caroline revint en début d'année et s'inquiéta. Alberto n'avait plus que la peau sur les os d'un corps délabré, le teint gris, les yeux jaunis. Il appela Bruno pour qu'il presse Pierre Matisse de venir. Il demandait aussi instamment qu'on le laisse revenir une semaine à Paris pour mettre de l'ordre dans ses affaires.

À son retour de vacances, le médecin-chef de Coire opéra une ponction, pour drainer le liquide de la cage thoracique. Mais Alberto suffoquait. Quand il fut seul avec le docteur Markoff, médecin-chef des lieux, dont le frère avait été le condisciple de Bruno, il lui murmura en cet après-midi du 10 janvier 1966 : «Bientôt je reverrai ma mère.»

Deux ans plus tôt, exactement, elle se mourait à Stampa. À l'heure de la mort, au lit final, qui Alberto évoque-t-il, appelle-t-il? Pas n'importe quelle femme, la seule qu'il souhaite rejoindre, celle de toujours, la mère. Ni Annette, ni Caroline. Ni Diego, le vivant. Ainsi Colette retrouva-t-elle Sido, son plus grand amour, avant de s'éteindre : «Tendre vers l'achevé, c'est revenir à son point de départ.»

La mère morte? Non, Annetta vit en Alberto jusqu'à son dernier souffle. C'est à elle qu'il a voué son art, son génie, à elle qu'il a téléphoné chaque jour. Leur fil, insécable, après le cordon ombilical. L'être aimé entre tous les autres. L'élément primordial en lequel sa vie d'homme reflue. Le traverseur de vies et de paysages qu'il a toujours été revient à elle.

Cet amour, primitif entre tous, évoque l'attachement, l'imprégnation, entre une femelle et son petit mâle. Qu'on me pardonne, mais cette figure de femme hyperdominante m'apparaît être celle d'Annetta, déesse-montagne pour ses fils. La montagne n'a pas d'âge. Et les ténèbres de l'amour ne lui ont jamais pris Alberto. Le rituel de soumission d'un Alberto célèbre et obsessionnel, devant le ou les vœux de sa mère, pour le placement de ses œuvres à l'exposition de Berne, est éloquent. Annetta règne. Jamais aucun de ses fils n'eut d'enfant : ni Alberto, pour la raison que l'on sait, l'atteinte par les oreillons de ses testicules, ni Diego. Ni Bruno.

Bruno passa la nuit sur une chaise, à côté du lit de son frère. Ils parlaient dans le patois de l'enfance, le bargaiot. Diego arriva au matin. Alberto insista pour que lui et Bruno aillent ensemble récupérer Odette à Maloja, par les routes de montagne. Annette arriva à son tour. Émacié, Alberto recevait de l'oxygène apporté par des tubes dans ses narines, et un goutte-à-goutte intraveineux de glucose. Quand Annette sortit de la chambre, elle se trouva nez à nez avec Caroline, qui était arrivée par le même train que Diego. Pétrifiée quand elle avait appris la suppression du téléphone dans la chambre du malade, elle s'était précipitée à la gare.

Les deux femmes s'agressèrent avec virulence, puis entrèrent ensemble dans la chambre d'Alberto, « Caroline, Caroline », dit-il dans un murmure. Il lui prit la main et demanda qu'on les laisse seuls.

Il se mit à neiger. Annette, revenue au crépuscule, retrouva Caroline au chevet d'Alberto. Puis les cinq, au grand complet, se tinrent près de lui. Le chœur. « Vous êtes tous là. Cela veut dire que je vais mourir. »

Diego sortit dans le couloir, ses yeux bruns noyés de larmes. « Ce n'est pas possible. Pas possible qu'il meure là-dedans comme un chien. » Il appela Patricia Matisse. Pierre Matisse allait dîner à l'hôtel Baur-au-Lac de Zurich avec un autre marchand d'art de New York, mais son épouse le prévint. Il prit aussitôt une limousine avec chauffeur et la route de Coire malgré la tempête de neige.

Diego voulut veiller son frère, mais Alberto s'y opposa. Annette resta seule dans la chambre. Alberto, fatigué, souhaitait se reposer. « À demain », lui dit-il. Demain ne reviendrait plus jamais.

Ce furent ses derniers mots. La neige tombait, impalpable. Cette neige tant aimée, où se blottissaient les heures mortes, son premier, son dernier amour, était-elle venue l'ensevelir ? Si blanche. Le climat des antans. « Le vierge, le vivace et le bel aujourd'hui » avait disparu. Tombe la neige, oh que n'ai-je… Le ciel aussi est impalpable. Seul le trou l'attendait. Non pas le trou bienheureux de l'enfance, ni le trou de l'atelier, mais l'autre, le final, pour le rendre à la terre qu'il ne peut plus pétrir. Dalle funèbre de la neige. À sept heures du soir, il entra dans le coma.

Vers dix heures du soir, Caroline descendit passer un coup de téléphone. À quel larron ? Elle était en train de perdre son unique pourvoyeur. Les autres se tenaient dans la chambre. À dix heures dix, le corps d'Alberto eut un spasme et il cessa de respirer.

Caroline en revenant apprit la mort dans le couloir. Elle se précipita. Annette voulut s'interposer, mais Caroline fut la plus forte et se saisit des doigts glacés d'Alberto. Les autres s'éclipsèrent, et devant la bouche béante du cadavre, Caroline, très doucement, la ferma. Une infirmière vint poser la mentonnière.

Pierre Matisse arriva après onze heures. Il était trop tard. Diego fit un aller et retour à Paris, le lendemain, pour sauver le buste de Lotar. Il chauffa tout doucement les chiffons gelés. La glaise n'avait pas éclaté.

Le service funèbre eut lieu, dans le village natal, sous un ciel bleu glacial. L'hommage du monde déferlait. Le cercueil où reposait Giovanni Alberto Giacometti – il portait le même nom que son père, son père gémellaire et tant aimé – avait été déposé dans leur atelier de Stampa. Sur le couvercle de chêne, un petit panneau glissait sur un verre, laissant voir le visage du mort.

La vieille bonne de la famille, Rita, n'en revenait pas : « Mais je n'ai jamais vu Alberto sans cravate. »

Le cercueil fut chargé sur un fourgon attelé d'un cheval, et la procession le suivit, accompagné du chœur des hommes, vers l'église de Borgonovo, à un kilomètre, à travers la neige : San Giorgio. Murs blanchis à la chaux et bancs de sapin attendaient les célébrités, venues du monde entier. Gaétan Picon représentait André Malraux.

Caroline, tout en noir, ne s'était pas rendue à l'exhortation haineuse d'Annette, et assistait à la cérémonie. Les orateurs se succédèrent, puis le cousin Rodolfo Giacometti, au nom des habitants de la vallée et dans leur dialecte. Le pasteur de San Giorgio avait été prié d'être aussi bref que possible, mais il n'en pouvait plus d'entendre les autres et les officiels, et il s'adonna à un long sermon sur la vanité de la gloire. Diego poussait le coude de son ami Kornfeld, en lui soufflant : « Il profite, il profite… »

Un buffet attendait, au Piz Duan, à Stampa, selon la tradition. Caroline y aurait été une intruse. Jean-Pierre Lacloche, avec sa courtoisie habituelle, se proposa pour la ramener dans son taxi vers Saint-Moritz. Seule, laissée pour solde de tout compte.

La longue marche d'Alberto ne saurait se terminer sans une prière : c'est la plus belle prière humaine que je connaisse et dans ses mots.

La longue marche

« Je pense que j'avance tous les jours. Ah ! ça, j'y crois, même si c'est à peine visible. Et de plus en plus, je pense que je n'avance pas tous les jours, mais que j'avance exactement toutes les heures. C'est ça qui me fait trotter de plus en plus. C'est pour ça que je travaille plus que jamais. Je suis certain de faire ce que je n'ai jamais fait encore et qui va rendre périmé ce que j'ai fait en sculpture jusqu'à hier soir ou jusqu'à ce matin. J'ai travaillé à cette sculpture jusqu'à huit heures du matin, je travaille maintenant ; même si ce n'est encore rien du tout, pour moi elle est avancée sur ce qu'elle était, et une fois pour toutes. Ça ne revient jamais en arrière, plus jamais je ne ferai ce que j'ai fait hier soir. C'est la longue marche. Alors tout devient une espèce de délire exaltant pour moi. Exactement comme l'aventure la plus extraordinaire : je partirais sur un bateau dans des pays jamais vus et rencontrerais des îles et des habitants de plus en plus inattendus, que cela me ferait exactement cet effet-là.

« Cette aventure, je la vis bel et bien. Alors, qu'il y ait un résultat ou non, qu'est-ce que vous voulez que ça fasse ? Qu'à l'exposition il y ait des choses réussies ou ratées, ça m'est indifférent. Comme c'est raté de toute manière pour moi, je trouverais normal que les autres ne regardent même pas. Je n'ai rien à demander, sinon de continuer éperdument. »

Diego ou le sauveur sauvé

> « À quiconque a perdu ce qui ne se retrouve. »
> Baudelaire

Frère du précédent

« J'ai vu mourir Alberto, j'étais assis à son chevet, je lui tenais la main. Alberto me regardait ou plutôt scrutait les contours de mon visage, me dessinait des yeux comme il dessinait des yeux et transposait en dessin tout ce qu'il regardait. »

Diego rend compte avec son économie de mots et sa lucidité de la dernière scène entre eux, poignante d'avoir été répétée tant de fois… Leur tête-à-tête continue. Devant le visage de son cadet, qu'il connaît par cœur, Alberto ne peut venir à bout de l'énigme, poursuivie toute sa vie. Finir, il n'a jamais pu finir. Ni dans la sexualité, ni dans la création. Diego, voyant et ombre d'Alberto, le sait et le tait. Scène d'amour entre toutes de leur ultime regard. L'avenir, leur avenir n'en a plus que pour quelques minutes.

Son frère, Diego l'avait-il servi, sans jamais se rebeller contre son astreinte, ou une colère secrète s'était-elle réfugiée dans son cœur ? *Frère du précédent*, la formule notariale ou civile, dans sa sécheresse, a inspiré le titre du livre de Pontalis. Et pour cause. Aussi rapprochés soient-ils, comme Alberto et Diego, la rivalité court à vie.

Yahveh ayant préféré l'offrande d'Abel – des agneaux – à celle de Caïn – des céréales –, Caïn tua son frère. Le couple fraternel peut devenir fratricide. « Le conflit est le père de tous les hommes », annonçait Héraclite. Pontalis s'interroge : « Faut-il qu'un des deux frères triomphe sur l'autre ? l'anéantisse, pour exister ? Est-ce un malheureux destin ou un destin enviable que d'être frère du précédent ? »

Rivalité rompue depuis l'enfance, dans l'amour des parents. L'aîné abhorre le nouveau venu, l'intrus quand il vient au monde et le lui dispute. Le désir du puîné veut éclipser l'autre, et la jalousie les tient serrés dans son double nœud. La guerre infantile dans l'amour et la préférence de la mère est de tous les temps. Rodogune la célèbre : « O frère plus chéri que la clarté du jour », pour ajouter au vers suivant : « O rival ! » L'inconscient ne connaît pas le non, ni le temps, seule la machine à produire du rêve et du symptôme. Comment oublier l'automutilation de Diego, sa main d'enfant tendue sous le couperet ? Il faudra des années avant qu'il ne confie sa véritable histoire à Alberto, encore aveuglé par l'épisode de la main mutilée de son frère. Diego a farouchement gardé son secret.

Alberto s'est figé définitivement... Diego faisait couple avec lui. Il ne sera jamais au commencement de leur histoire, c'est Alberto. Comment se détacher de ce qui fit sa vie, pour repartir en soi-même ? Couple sans équivalent, sans précédent, de l'aîné et de son cadet. Alberto s'est amarré à Diego. Nuit et jour. Diego ne peut être dupe : sans lui, Alberto aurait perdu pied. Alberto le savait mieux que quiconque attaché à Diego comme à un autre lui-même. Il avait toujours à la bouche : « Il faut demander à Diego. »

La simultanéité qui règne entre Alberto et Diego vient en droite ligne de leur inconscient d'enfant. Les flûtes et les sifflets qu'ils se sont taillés petits, les genoux couronnés, les cachettes communes dans la grotte de Pepin Funtana, et le *nostos*, le retour à la maison de la mère, unique pour chacun d'eux, ont nourri leur face-à-face. L'inconscient ne connaît pas le temps. Aucune femme, jamais, ne substitua de maison à celle d'Annetta, pour les deux frères.

« C'est joli... » Ce mot revenait aussi chez Diego, toujours un peu étonnant chez cet homme au visage buriné. Il lui vient de Stampa. Ce qui fait retour entre eux habite l'atelier, l'autre grotte. Et que dire de la main-d'œuvre, fournie en permanence par Diego à son frère, alchimie invisible ? Diego, frère de travail, son ambidextre, sa sentinelle...

Toute sa vie, Diego a été d'astreinte. Stoïque. Dévoué, jusqu'à la plénitude, il a rempli la mission confiée par la mère. Non, il n'a pas voulu se faire la belle, il est resté enchaîné à leur couple, sa mission de confiance, sa mission de pouvoir. En vérité, si Alberto n'avait eu un tel compagnon, présence entre toutes bénéfique, le seul capable de collaborer à l'intimité créatrice, de faire le travail, de la plus légère armature au plus lourd des socles, et de conjurer ses démons destructeurs, ses défaites et ses désespoirs, je pense qu'Alberto n'aurait pas pu accomplir son œuvre. Vaincre le dard atroce de la fatalité. L'orchite. De ses milliers de regards, Alberto a fait sa descendance et ses gênes. Aussi reconnaissables que des fils ressemblent à leur père. Son sperme, Alberto l'a fécondé dans l'argile. Sa fraternité avec son vrai frère de sang le régénère. Il y a du vampire en Alberto. Le maître et son aide, le destin et le dauphin. Consanguinité intrahissable entre eux.

Cézanne, pendant quarante ans, ne cessa de peindre la montagne Sainte-Victoire. «On ne devrait pas dire modeler, on devrait dire moduler», expliquait-il. La sculpture tellurique d'Alberto a modulé la vie de Diego. Modèle magnanime, quotidien, résigné à l'acharnement de son frère, Diego fut sa montagne Sainte-Victoire. Grimpeur né, il va en devenir l'icône, dans l'abîme du temps.

Double scène

Pour ce couple fraternel, la scène cachée et la scène apparente s'ignorent, se défient, s'étreignent. S'adossent l'une à l'autre et se séparent.

Sur la scène embrasée de la dette et de l'héritage, quel feu s'allume ? Est-ce le prix à payer ? Le poème de Rilke s'incarne dans la main droite martyrisée de Diego : « La plainte seule apprend encore, et sur ses doigts d'enfant, compte à longueur de nuits l'ancienne peine. » Diego ne reçut même pas une sculpture ou une toile de son frère, après sa mort. Pas un picotin. Ce à quoi il avait travaillé sa vie entière, journalier d'Alberto, se volatilise dans l'absence de disposition testamentaire d'Alberto à son égard.

« Tu sais bien que, puîné, je n'ai point part à l'héritage », écrivait André Gide, un autre protestant. Était-ce puéril de la part d'Alberto de mourir intestat, comme ses parents, ou plus perfide, ou fut-il la proie du temps, le dernier acteur ? Toujours est-il que Diego ne fut pas protégé, lui, le protecteur essentiel de son frère. Nous revenons à la scène du début de ce livre, où je saisis intuitivement le bouleversement de Diego et prononçai, pour la première fois, le prénom d'Alberto, l'autre Giacometti. J'avais instinctivement tenu à ce que Diego se sente le seul pour moi.

De quelle protestation intime l'absence du moindre papier le protégeant – que dis-je, lui rendant justice de son travail année après année – devenais-je le témoin ? « Tout est à Annette, même la vieille ferme de la mère. » Par ces quelques mots, avec sa pudeur, Diego en disait long. Annette devenait l'unique héritière. Diego, lui, était l'amputé.

Toute la colère réprimée, tant d'années, remonte le temps jusqu'au petit garçon qui voyait tous les lauriers revenir à son aîné. Diego, resté si proche de cette nature qu'il aimait et où il se réfugiait, me fait penser à Colette quand elle se confie : « J'ai grandi, mais je n'ai jamais été petite. Je n'ai jamais changé. Je me souviens de moi avec une netteté, une mélancolie qui ne m'abusent point. Le même cœur obscur et pudique, le même goût passionné pour tout ce qui respire à l'air libre et loin de l'homme… Tout cela c'est moi enfant et moi à présent. »

Diego et Alberto ont partagé le pain et le couvert de l'âme, l'abri du passé et l'atelier du présent. De son visage capturé des milliers de fois par Alberto, il ne reste à Diego nul exemplaire. Ces deux frères rappellent ces oiseaux qu'on dénomme les inséparables. Alberto et Diego adoraient les oiseaux, ceux qui s'envolent l'un de l'autre, puis retournent au nid. Diego sculpta un oiseau pour la sépulture d'Alberto. L'oiseau fut volé, ce qui l'indigna. Il m'en fit part avec ce mélange de résignation et de révolte qui le caractérisait.

Diego reçut en tout et pour tout un des bronzes tirés de la dernière œuvre, qu'il avait sauvée, le buste de Lotar. Il le plaça sur la tombe de son frère. On songe au petit cimetière d'Auvers-sur-Oise, où les frères Van Gogh reposent dans leurs tombes adossées à un champ de blé, blotties l'une contre l'autre : sur leurs pierres tombales, leurs noms et leurs dates, Vincent (1853-1890), Théodore (1857-1891). Théo n'aura pas survécu plus de six mois à son frère, même pas une poignée de saisons. Théo qui écrivait à Vincent : « Mange tout le pain que ton cœur désire. »

Je ne sais quelle résignation secrète, plus forte que la revendication, chez Diego, sauva sa vénération d'Alberto. Il le connaissait mieux que personne, l'avait servi mieux que personne, il évaluait aussi, peut-être, mise à part la frustration formidable de s'effacer derrière son frère génial, la certitude d'avoir été un auteur à part entière de sa réussite. Comme la femme aimée peut s'enorgueillir d'avoir conduit et reconduit la réalisation de son partenaire, Diego ne pouvait s'aveugler sur son rôle.

Mais soudain, il existait à part entière. Sans l'autre. Seconde naissance, étrange printemps auquel j'assistais.

Printemps

Tout continua, apparemment, comme par le passé. « Prêt à une nouvelle vie ou la suite de l'ancienne, c'est la même chose,» écrivait Alberto dans ses carnets. Mais désormais Diego ne travaillait plus que pour lui. Son fabuleux paradis terrestre, échappé des humains, depuis l'enfance. Aussi indestructible que le bronze de ses créations. D'ailleurs, si l'on se heurte à l'une de ses tables ou de ses sièges, son mobilier hiératique fait mal et marque de bleus les peaux délicates : est-ce le prix à payer pour l'indéfectible ?

Je ne peux plus repasser par Alésia sans que mon cœur se serre : Diego n'est plus. Lui qui était toujours là, à la tâche. J'assistais à l'éclosion de Diego. Élégant, calme, mystérieusement présent, un peu secret, irremplaçable dans son talent et sa chaleur, son silence était habité. Mais je vis le tâcheron devenir l'artiste : il émergeait, comme un méristème fait sa fleur, dans sa floraison de plâtre.

Rendu à la pauvreté principale – il vivait de ses seules commandes –, il désarticulait, recomposait ses trouvailles, ses fleurs, ses femmes. Les siennes, si élancées aussi mais heureuses. Les grenouilles, leurs petits, les chevaux, les chipies attendaient devant les fées.

Je me rendais rue du Moulin-Vert, ou à Hippolyte. Ma chienne-loup Zelda m'accompagnait. Elle s'était si souvent blottie sous ses genoux, au restaurant ou à la maison, elle le humait, le reconnaissait. «Je voudrais faire le portrait de Zelda», me dit-il un jour. Il me le répéta. Je répondis en riant : « Quand même, tu exagères, tu pourrais me demander de faire mon portrait... » Ignorante que j'étais, comment aurais-je pu lui faire franchir le mur qui le séparait des portraits d'Alberto ? Inconsciente. Zelda serait à mes côtés pour toujours, elle pourrait m'accompagner dans l'au-delà, comme dans le secret d'une tombe égyptienne. Sa tendresse avait fait de ma louve une biche et Diego s'extasiait : « Elle ressemble à Anubis ».

Je le revois lever le nez sur la vitre de l'atelier, rue Hippolyte-Maindron, quand je tambourinais. Son vieux feutre tout cabossé, ou tête nue. Ses yeux me souriaient sur le tapis de barbe, devenue grise comme toute cette poussière, cette pauvreté qu'il rendait féerique. Sa Gitane à la bouche, allumée ou endormie. Le paquet bleu de son unique marque de cigarettes traînait immanquablement sur l'établi, avec le *France-Soir*, sa petite radio en sourdine. La chatte, furtivement, s'éloignait.

Jamais elle n'a renversé un des vieux pots à pinceaux, les bouteilles de térébenthine, les plâtres délicats, le foutoir d'instruments où trônait sa boîte de mou, un pot de yaourt vidé. C'était la maîtresse des lieux.

Par hasard je tombais sur un élément merveilleux auquel il travaillait, lunettes baissées sur le nez : feuille, chouette ou patte d'oiseau. Des chefs-d'œuvre m'apparurent, toujours par hasard, dans la courette de la rue du Moulin-Vert où il avait pris logis. À l'intérieur, un plaid écossais sur son fauteuil pommeaux : c'était pour la chatte.

Ainsi ai-je pu découvrir la plus belle des tables de salle à manger, dehors, en plein vent, plateau de verre dressé sur piétements de feuilles, destinée à Hubert de Givenchy. Ainsi que les Victoires de Samothrace choisies par Romain Gary pour Jean Seberg, en sentinelles du destin sur ses vitrines-bibliothèques. Toujours cette conception étrusque et cruelle que venait habiter un crapaud, une chipie, la guenon et son petit. «Il faut valoriser», me répétait-il. Ses pieds de lampes de femmes aux cheveux défaits, un animal niché sous un sein, n'auraient pas dénaturé un palais.

C'est là que je vis naître les lustres à fleurs de lotus pour le musée Picasso. Emerveillée, je m'arrêtais sur le seuil avant d'entrer. «Diego, que c'est beau... – Tu crois»? me répondait-il. Je pensais en les regardant à ces oiseaux de son ami Braque, dont le vol éclipse toutes les libertés. Et il recommençait. Sa sincérité absolue remettait tout en doute. Il était devenu Alberto.

Mystère de la mimésis. Un jour, à propos de rien, penché sur son établi où il modulait une patte, il lança : «Ma chance, ça a été Alberto.» Il hocha la tête et me le répéta, comme s'il se parlait à lui-même, dans la solitude de sa Gitane à demi consumée sur les lèvres.

Rien ne se perd, rien ne se crée. Tout se transforme. Tout recommence. C'est l'alchimie de la vie. Elle ne connaît pas de maître.

La noblesse de Diego, dans son vieux pantalon taché et son chandail troué, son visage mal rasé qui s'adoucissait devant la chatte, rien ne me les rendra. Certaines choses font partie de la vie, et les mots se taisent. Le silence de Diego était de ceux-là. Un silence partagé, conscient. Je crois qu'il s'appelle la pudeur.

Des forêts surgissaient avec une légèreté d'elfe. Le cyprès sous la lune, la *Promenade des amis* où le chien lève la patte, pour uriner, et l'autre flaire, le cheval prince, la souris visiteuse, le rat inséparable s'unissent. Je lui apportai un jour une coco-fesse, de l'île Maurice. Il lui fit le piétement d'une main qui la tient, entre des branches.

C'est un des objets les plus érotiques qui soient, il a l'incandescence de la poésie. Sa goutte de feu.

L'idylle d'une feuille avec l'oiseau n'avait pas de secret pour lui. La suspension, c'était son monde. Comment oublier le mot d'Alberto, à propos du bougeoir sur la table de la *Famille de paysans* de Le Nain : « Le bougeoir sur la table, c'est grand comme un monument sur une place romaine ». Diego créa les plus belles suspensions, lustres du monde maternel. Le lilas et le seringa, les fleurs des champs des bouquets d'Annetta, ses compotiers pleins de fruits, la veillée, jamais éclipsée sous la suspension, chacun des enfants assis sur sa chaise au dossier sculpté à son nom par le père – Alberto, Diego, Ottilia, Bruno – l'habitaient. Se sont-ils aimés, ces quatre-là, mais les bouquetins ont traversé. « À se retourner vers le passé qui flambe, écrit Jean Cocteau, on risque d'être changé en statue de sel, c'est-à-dire en statue de larmes. »

Pas Diego. Il rayonnait. Ancré dans sa mémoire, le nid forestier où il guettait les cerfs et les biches, les bois emmêlés de ceux qui se déchirent, à l'automne. Les éperviers, les milans captaient son regard, depuis les sommets où il grimpait. Est-ce la montagne qui fit de lui ce fils de la nature ? Est-ce l'Égypte ? Entre les lèvres du fleuve, il apprit le Nil, la vie patiente de la crue de l'été, porteuse de limon. Il n'oublierait jamais son Égypte, quasiment son unique voyage, Ptah, le dieu-forgeron, l'allégresse des récoltes, les îlots où dorment les croco-diles et la forêt de palmiers. Les palmettes et le bestiaire, jusqu'aux animaux fabuleux, sphinges et harpies, l'ins-piraient toujours. Les appliques qu'il composa pour

Guerlain sont très voisines des chapiteaux coptes recouverts de feuilles et de raisins.

Il notait ses commandes dans son petit carnet d'économe. Après tout, il lui fallait en vivre. On ne voyait jamais rien, et puis arrivaient la table-berceau, l'autruche porteuse de son œuf, le photophore aux tortues, la console aux grenouilles. Il laissait à Alberto les crânes et les têtes, lui portait son paradis et ses couples se donnaient la main. Son *Chat maître d'hôtel*, plateau oblige, a la noblesse de ceux que célébrait Baudelaire, « les chats puissants et doux »... Mais les oiseaux n'y résistent pas.

Un jour, rue du Moulin-Vert, Diego me raccompagnait. Je m'arrêtais devant la vigne vierge qui avait poussé sur son muret. La chatte ne fit qu'un bond vers l'oiseau dans les feuilles, il retomba, blessé. « Garce », maugréa Diego. On aurait dit qu'il parlait à une femme. De ses mains bosselées il s'empara de l'oiseau. « Il faut que tu l'emportes, me dit-il, sinon elle recommencera. » Sans doute sentit-il mon hésitation. « Elle va recommencer », m'affirma-t-il. Je n'osai pas lui dire non.

Je rentrai quai des Grands-Augustins, où j'habitais alors, et l'oiseau s'échappa dans la haute verrière de l'atelier. Ne sachant comment le rattraper, car il voletait faiblement mais de plus en plus haut, je ne sais quel miracle me le rendit après des efforts acrobatiques. Devant aller à un dîner ce soir-là, je l'enfermai dans la minuscule cuisine. Quand je revins, il s'était noyé dans de l'eau de vaisselle. On n'échappe pas à son destin.

Diego avait un luxe : il travaillait pour qui lui plaisait. La tumultueuse comtesse Volpi, Lili, aperçut chez moi une paire des chaises à croisillons de Diego. « C'est joli,

ça, dit-elle, ce serait bien pour ma maison de Circeo. »
Toute contente, je lui donnai l'adresse de Diego. Elle lui
en commanda quarante… Il ne lui en fit jamais une.

Il avait ses têtes et ses préférences. Je lui fis connaître
mon ami grec, le professeur Stratis Andreadis, armateur
et banquier, resté l'amoureux de Paris et de sa rue Saint-
Guillaume, où il avait été étudiant en sciences politi-
ques. Dorette, la femme qu'il aimait, s'enticha de Diego.
Originale, mince comme un fil, elle dévorait et invita
Diego dans tous ses bistros. Je le revois encore rire et
se régaler à La Marée… Il fit pour eux les meubles les
plus éblouissants, destinés à leur maison sur l'Acropole,
et conçut des lampadaires à étoiles de mer. Quelle ne
fut pas ma consternation quand Dorette me téléphona
d'Athènes pour m'annoncer qu'elle allait en couper les
branches car « on voyait les fils électriques dépasser »
après la venue de l'installateur.

Il y avait chez Diego quelque chose d'inexpugnable,
restitué par l'indestructible de sa sculpture. Sa modestie
profonde rejoignait la feuille, comme la feuille s'abrite,
se fortifie. Rien ne le rendait plus heureux que de voir
ses créations vivre, chez ses amis et ses collectionneurs.
Il aimait tant dîner dehors et la force du vin rouge. Je le
soupçonnais de n'avoir rien absorbé de la journée, un
yaourt comme sa chatte et l'éternel café. Le soir, il se
détendait. Je le voyais avec enchantement se griser, après
sa longue journée ouvrière, devenir l'invité. Bistro ou
dîners qu'il acceptait toujours, arrivant en Italien raffiné,
col de chemise impeccable et large, pochette de soie
sur son costume bleu sombre, chaussures étincelantes.
Qui donc avait fait leur toilette, la chatte ? Une sorte de

revanche entre la tenue du jour, son pantalon flottant, pendu à deux bretelles usées jusqu'à la trame, éclaboussé et crotté de plâtre, ses vieilles godasses, et la cérémonie du soir. Il redevenait le beau Diego.

Certes, il aimait boire. Rien pourtant ne troublait sa justesse, sa courtoisie et sa séduction silencieuse. Devenu âgé et moins valide, il fut renversé par un voyou, rue du Moulin-Vert, et ne put se relever. Toute la nuit il dut rester sur le trottoir. Personne pour le secourir.

Personne non plus, quand un contrôle fiscal lui tomba sur la tête. Catastrophé, Diego n'avait pour se défendre que son petit carnet économe... En plus, ce fut une contrôleuse. Il dut l'apprivoiser, car il ne faisait guère partie des requins de la finance.

Je revois la carte punaisée à côté de lui, près de la fenêtre de l'atelier, du *Chardonneret* de Karel Mauritius, les écureuils de Dürer, le cheval chinois parmi ses tenailles et scies, sur l'établi, ses compas et rabots, ses clés. L'albatros de plâtre étendait toujours ses ailes, et une femme en feuilles, toute petite et si fragile, défiait l'impossible de sa tendresse.

Il faudrait évoquer les merveilles que Diego réalisait, depuis le Mas Bernard des Maeght, la villa de Pierre Matisse à Saint-Jean-Cap-Ferrat, la fondation Maeght et la Kronenhalle de Zurich, la brasserie chère à Joyce, dont le propriétaire Zumsteg, le créateur fameux des tissus haute couture, lui avait confié le bar, jusqu'à Mill Reef, le cheval vainqueur du Prix de l'Arc de Triomphe, immortalisé pour Mrs Mellon, sa favorite. Appliques en coquilles, à têtes de Méduse, serres d'oiseau, guéridons à têtes de chiens, toujours signés par son monogramme –

deux triangles opposés frappés au tas – ou par un simple Diego. De moutons, il ne fit jamais, hanté par sa terreur d'enfant perdu à s'étouffer dans leur troupeau.

Tout était resté intact, Alberto aurait pu pousser la porte, comme il l'avait fait tant de fois pour retrouver son frère : l'éternel retour. Dans cette étrange serre de l'atelier, il demeurait même l'arrosoir d'Alberto, avec lequel il aspergeait les linges protecteurs de ses sculptures, petits suaires dont Diego enleva le dernier, sur le buste de Lotar. Mais il ne restait à Diego que le semis des taches rouges, sur le sol de l'atelier, pourpoint émouvant de la distance autoritaire à laquelle le peintre plaçait son modèle, son tabouret et son chevalet. Un justaucorps de leur sang, avant de trouver la veine, pour la transfusion secrète de la toile. Chaque tache, Diego la connaît, la reconnaît, signe au petit point. Le sang de leur vie a posé ses marques.

Un deuil nouveau frappera : Silvio, le neveu médecin et le sosie d'Alberto, mourra brutalement d'un infarctus du myocarde. C'était encore une fois Alberto qui s'en allait… Et Ottilia. Il n'y aurait pas d'héritier à la consanguinité principale.

Adieu à l'atelier

Modeste et singulier, serein, Diego avait gardé un goût âpre de la liberté, si proche de ces animaux qu'il aimait. Les forêts d'épicéas, les lacs sylvestres, les marmottes et les chamois, émerveillement de son enfance, revivaient dans sa passion d'animalier.

Ami de Chagall depuis son arrivée à Paris, ses préférences allaient à la chatte transformée en femme, et à la souris transformée en fille...

Le Jardin des Plantes l'enchantait. Hôte régulier de leur mas provençal, il composa une vraie cage d'oiseaux pour Marguerite et Aimé Maeght, l'échelle de leur piscine avec un gros lézard sur le rebord. Ses chats votifs, la levrette d'Hubert de Givenchy et Mademoiselle Rose, sa renarde bien-aimée et odoriférante, condamnée à l'exil par Alberto, la grenouille et son petit rivalisaient sur ses tables-carcasses. Une justesse infaillible le guidait, pour « habiller » son mobilier de bronze, à la rigueur étrusque et gréco-romaine. La sève de Diego réincarnait cette civilisation vouée au culte des morts en œuvres d'éternité. Ses chenets sublimes, aux deux oiseaux, ceux du couple, l'homme et la femme, rendent la vie à la vie.

Un jour, j'entrai à l'improviste rue Jacob chez un célèbre brocanteur, Comoglio. J'avais trouvé bien des objets insolites chez lui, mais n'y étais plus retournée depuis de longues années, ayant changé de maison et de vie. J'entrais donc et fus reçue par un commis portugais inconnu. Je lui montrai du doigt une petite biche de plâtre, malheureusement abîmée, et dont il ne connaissait pas le prix. C'est alors que Comoglio apparut, de derrière son rideau minuscule, et je lui communiquai mon adresse nouvelle.

Le soir, un coup de sonnette retentit : c'était le jeune Portugais qui m'apportait dans ses bras la biche de plâtre, en cadeau de son maître. Que n'aurais-je donné pour lui enlever son trou béant à l'encolure, l'oreille et la queue cassées ? Je la portai à Diego. Enchanté, il

« l'habilla », fit pousser des feuilles sur sa blessure, et même y réfugia un escargot de plâtre, lui refit l'oreille et la queue. Elle devint un trophée ravissant. Diego n'avait jamais oublié les hippopotames de l'Égypte, s'ébattant sous les papyrus dans les eaux recouvertes de végétation du Nil, et ressortant couronnés de feuillages...

Pour la chapelle de Sainte-Roseline en Provence, Marguerite Maeght demanda la mosaïque à Chagall, les oiseaux à Ubac et Bazaine. À Diego le lutrin, en bourgeons et feuilles, les portes du reliquaire, le haut relief évoquant dans sa candeur franciscaine le miracle de la sainte : quand son père, soupçonneux, lui ayant interdit de porter de la nourriture à son prisonnier lui ordonna d'ouvrir son tablier, il s'en échappa au lieu des provisions destinées à l'affamé une pluie de roses... La cuvée du vin rosé Sainte Roseline le célèbre encore.

Je me plaignis un jour de ne pas arriver à trouver de poignées de porte pour ma chambre à coucher : Diego me fit des sirènes.

Il était octogénaire quand la commande monumentale du musée Picasso lui fut passée, pour l'hôtel Salé du Marais. Picasso, ce vieux gredin, l'ancien copain, grand rival, quelque part, d'Alberto ; le défi comptait pour lui. Il s'attela à la tâche avec la passion d'un adolescent. L'étymologie d'adolescent renvoie à adolesco « je crois », du verbe croître. Je vis croître, au sens propre, le mobilier au sol et les luminaires, la grande lanterne de bronze de l'escalier, ponctuée de palmettes, d'oiseaux et de masques. Les torchères, sur le palier de l'étage, les lustres en résine blanche si apparentés au grain du plâtre ravissent le regard de la grâce végétale des feuilles en corolle.

Le regard de Diego s'affaiblissait de plus en plus, ce qui l'affolait. L'opération fut décidée, et réussie. Je me rendis à son chevet et le trouvai joyeux : «Je vois, je te vois» ! Comment aurais-je pu imaginer qu'il allait mourir ? Par une férocité du destin, il ne verrait pas l'inauguration toute proche de ce musée Picasso pour lequel il avait travaillé corps et âme. Son abnégation n'avait d'égale que son attente : il y tenait plus qu'à tout. Encore une fois, la dernière, il s'était effacé.

C'est à Jean Genet qu'il revient d'avoir donné à l'atelier les mots l'empêchant de mourir, et s'ils ont été écrits du vivant d'Alberto, je voudrais les dédier à Diego.

« Cet atelier, d'ailleurs, au rez-de-chaussée, va s'écrouler d'un moment à l'autre. Il est en bois vermoulu, en poudre grise… Tout est taché et au rebut, tout est précaire et va s'effondrer, tout tend à se dissoudre, tout flotte : or tout cela est comme saisi dans une réalité absolue. Quand j'ai quitté l'atelier, quand je suis dans la rue c'est alors que plus rien n'est vrai de ce qui m'entoure. »

C'est exactement ce que j'ai ressenti, chaque fois, en quittant Diego et me retrouvant dans la rue, soudain si seule.

Diego fut incinéré. Puis il rejoignit les siens à Borgonovo et retrouva son nom : Giacometti. Éternel second, il se l'était si souvent enlevé, comme il s'était retiré un doigt. Peut-être qu'il manquait sa chatte, tant caressée de ses mains, ses mains qui parlaient. Restent le silence de Diego et toutes les voix de son œuvre. Dans le petit cimetière, qu'on dirait tout occupé par les tombes de la famille, les deux frères mythologiques reposent côte à côte, Diego sous le laurier de pierre. Souvent, il neige.

Les deux frères sont entrés dans la nuit. La nuit définitive, sans ampoule électrique et sans femme. L'un pour l'autre et l'un sans l'autre. À jamais. Liés encore dans la poussière de leurs restes à leur secret d'enfance qui a habité leur existence. Venus de la montagne, ils ont grimpé très haut, dans la gloire. La gloire universelle d'Alberto, modeste de Diego, toujours épris des animaux qui ont captivé son enfance. Sans eux, aurait-il gardé ce rythme naturel, animal, avec lequel il a tenu et veillé sur le génie menacé de son frère ?

Le sauveur s'est révélé. Le patrimoine humain qu'il nous laisse, magique, reste habité de ses feuilles et de ses oiseaux. Ses chandeliers jettent leurs flammes, et le masque fin de Mademoiselle Rose, la renarde disparue veille. Je rêve souvent qu'il revient, boit le vin rouge du soir après sa journée d'ouvrier, encore beau, toujours élégant, de l'élégance du Diego de Stampa immortalisé par Alberto. Sous la suspension de la mère, tant reproduite dans leur vie d'homme, ils demeurent.

Parole d'homme

Je désirais un témoignage d'homme pour conclure ce livre sur Alberto et Diego Giacometti. Je l'ai demandé à mon mari, le professeur Raoul Tubiana, qui a bien connu les deux frères.

Souvenirs sur Alberto

J'ai dû rencontrer Alberto en 1948. Jacques Audiberti habitait alors chez moi.

Un soir que nous déambulions du côté de Saint-Germain-des-Prés, Jacques me désigna un type qui marchait devant nous, avec une veste trop longue et une tignasse ébouriffée : « Voilà Giacometti, c'est un grand causeur. » Dans la bouche d'Audiberti, le verbe primait tout. Il l'aborda, me présenta, Giacometti me dévisagea avec bienveillance et dit avec courtoisie « enchanté ».

Nous nous attablâmes à la terrasse du Flore et aussitôt mes deux compagnons entamèrent une discussion enflammée, que je suivais avec difficulté car j'avais du mal à comprendre les éclats rocailleux d'Alberto. Je me retirai par discrétion pour rejoindre des amis à une table voisine. Une demi-heure plus tard, Alberto se leva, une cigarette au bec, et me salua au passage. Je rejoignis Audiberti : « De quoi parliez-vous ? lui demandai-je. Il avait l'air furieux. – Pas du tout me répondit-il, il parle fort et c'est son accent des Grisons qui donne cette impression. Nous discutons toujours du même sujet chaque fois que nous nous voyons : la perception du réel. Pour lui, c'est impossible. »

Je me souvins de cette remarque d'Audiberti plus tard, lorsque je connus mieux Alberto. À chacune de nos rencontres, vêtu des mêmes habits fripés mais toujours cravaté, Alberto revenait sur le même sujet de conversation. Il m'avait fiché avec une étiquette spécifique. Il est possible qu'avec ses proches, il se soit laissé aller à parler de choses et d'autres car il était très cultivé, très curieux et avait une grande richesse imaginative. Mais avec ceux qu'il avait « fichés », son côté obsessionnel et intéressé l'amenait à essayer de tirer profit au maximum de leurs connaissances sur un sujet déterminé. La plupart des créateurs que j'ai connus étaient, sans se l'avouer, profondément égoïstes, des pilleurs, de véritables prédateurs pour tout ce qui pouvait se rapporter à leur œuvre. Ceci était aussi vrai, quelle que soit leur apparente sollicitude envers autrui, pour Vieira da Silva ou pour Alberto. Les êtres qui vivaient en symbiose avec eux subissaient leur emprise et avaient les qualités inverses de dévouement et de désintéressement, que ce fût le charmant Arpad Szenes ou le merveilleux Diego. Cela n'empêchait pas Alberto de pouvoir être par ailleurs très généreux, comme il l'a été à mon égard, et de vanter à tout propos les dons artistiques de Diego.

Nous nous sommes par la suite croisés plusieurs fois à Montparnasse. Après mes longues séances opératoires à Cochin, il m'arrivait de m'arrêter en chemin, à la terrasse du Dôme pour un bref repas tardif, avant de repartir à l'Hôpital Américain. Il n'y avait pas alors de problème de stationnement. «Tu cours toujours», me criait Alberto avec un grand salut du bras.

Je suis rentré un peu plus dans son intimité, un soir où j'avais été appelé en urgence à Cochin pour une main gravement écrasée et mutilée. Je l'avais opérée pendant plusieurs heures avec l'aide de Pierre Valentin, mon plus proche collaborateur à cette époque. Nous travaillions tous deux sur un sujet qui nous passionnait : l'extension individuelle de chacune des phalanges.

Il était plus de minuit lorsque nous sortîmes de l'hôpital et nous décidâmes de prendre un verre à la Coupole avant de nous séparer. C'était une belle soirée déjà chaude de printemps et, en nous faufilant entre les tables, j'aperçus Alberto, seul, qui me fit signe de le rejoindre. «Qu'est-ce que tu fais ici, à cette heure ?» me demanda-t-il. «Nous venons d'opérer une main mutilée dans un triste état.»

Brusquement alerté, il nous posa quantité de questions sur les circonstances de l'accident, sur le patient, sur l'opération. Je ne compris que bien plus tard combien le sujet le touchait en voyant une reproduction de sa sculpture *La main prise dans un engrenage*, et en apprenant la mutilation des doigts de Diego.

Alberto voulait de plus en plus de renseignements sur les chances de récupération du blessé, sur le rôle des nerfs, des muscles, des tendons, sujets sur lesquels nous étions intarissables et qui semblaient le fasciner.

J'eus l'occasion de revoir Alberto à plusieurs reprises, rencontres de pur hasard, après des réunions tardives à Cochin, je le voyais déambuler devant la Closerie, je le rejoignais et chaque fois, il revenait sur le même sujet, les mêmes interrogations. Je pense maintenant que ces répétitions étaient du même ordre que celles qu'il manifestait dans le choix répétitif de ses mêmes modèles, ce qui correspondait pour lui à un approfondissement.

Il s'émerveillait de l'intelligence de la nature que je lui révélais : les muscles puissants et volumineux actionnant les doigts sont groupés dans l'avant-bras et sont prolongés par de longs tendons jusqu'aux doigts, car leur présence dans la main aurait compromis l'agilité des phalanges. Il était séduit par l'originalité du pouce, par la distinction entre le tact, passif, et le toucher, actif, volontaire, et par l'équilibre entre les muscles agonistes et antagonistes… Il lui arrivait de me répéter avec plus ou moins d'exactitude, parfois en l'enrichissant, ce que je lui avais expliqué quelque temps auparavant. La première fois, j'en fus surpris, puis comme cela se renouvelait, j'ai pensé que c'était peut-être, une manière inconsciente de s'approprier des notions anatomiques dont il n'était pas le maître.

Un soir, il me fixa pour la première fois un rendez-vous. « Viens ici demain à la même heure, j'ai quelque chose pour toi. »

Je le retrouvai le lendemain. Il sortit de la large poche de son veston un objet enveloppé dans du papier journal et me dit : « Toi au moins tu comprendras. »

C'était la main gauche de *l'Objet invisible.*

Jusque-là, j'avais peu de connaissances sur l'œuvre d'Alberto. Mes amis peintres, Busse, Dmitrienko ou Cortot, en parlaient avec respect, mais je n'avais vu que des reproductions photographiques de ses sculptures de la période dite surréaliste. Je les trouvais agressives et cruelles et elles m'étaient alors peu sympathiques.

Connaissant mieux Alberto, je me suis naturellement intéressé à son évolution laborieuse, scrupuleuse, d'une originalité exigeante, sans complaisance, exemplaire, qui allait bouleverser ma vision de l'art.

En 1956, avait été créé à Londres un « Hand Club » qui réunissait les chirurgiens s'intéressant à cet organe. J'eus ainsi l'opportunité de venir fréquemment dans cette ville. Mon autre centre d'intérêt à Londres était la Hanover Gallery, galerie d'art d'avant-garde, créée par une réfugiée allemande, Erika Brausen, auprès de laquelle j'avais été introduit par Jeannine Queneau.

À la Hanover Gallery je retrouvais trois êtres fascinants : Erika, la patronne, une maîtresse femme, sa superbe amie Toto, une réplique d'Ava Gardner, déportée à Ravensbruck pour espionnage, et un jeune Français, poète et expert éclairé, Jean-Yves Mock, qui fut par la suite l'adjoint de Pontus Hulten au Centre Pompidou. Tous trois devinrent des amis et je les voyais longuement à chaque séjour londonien.

C'est à la Hanover Gallery que j'eus une vue plus internationale de l'art contemporain. Je ne connaissais jusque-là, et imparfaitement, que l'École de Paris.

À la Hanover, j'admirais des Bacon, des Moore, des Armitage, des Américains, Tobey et Warhol, des constructions de Tinguely et des sculptures de ses épouses successives, Eva Aeppli et Niki de Saint Phalle. Je les rencontrais fréquemment à la galerie. Je vis aussi des œuvres récentes d'Alberto Giacometti, à l'époque guère exposées à Paris. Leur dignité et leur majesté s'imposaient.

C'est dans l'appartement d'Erika que je découvris les premières chaises en bronze de Diego.

Un matin à Londres, c'était en mars 1959, juché sur un tabouret, je feuilletais des dessins étalés sur une table, intrigué par la multiplicité des traits des contours d'Alberto, s'opposant à la ligne unique, magistrale, de Picasso, ou aux sinuosités savantes de Matisse. Je me laissai séduire par un dessin double-face d'Alberto avec d'un côté la tête de Diego et de l'autre une représentation de *l'Homme qui marche*.

Je ramenai précieusement ce dessin à Paris et téléphonai l'après-midi même de mon retour à Alberto pour lui faire part de mon acquisition. Il me répondit : « J'arrive tout de suite. »

Nous discutâmes longuement sur la manière de présenter ce double-face. « Il faut demander son avis à Diego », me dit-il. Je raconte cette anecdote pour montrer à quel point le jugement de Diego avait de l'importance sur les décisions d'Alberto.

Nous nous étions mis d'accord avec Alberto pour présenter le dessin dans un cadre monté sur un piédestal en bronze dont la base reproduisait le pied du dessin de *l'Homme qui marche*. Alberto fit un rapide croquis sur une de mes feuilles d'ordonnance pour le porter à Diego et nous nous rendîmes rue Hippolyte-Maindron dans le petit atelier, voisin de celui d'Alberto, où nous attendait Diego.

Ce dernier regarda longuement le dessin double-face et le croquis du piédestal qu'avait fait Alberto.

Il ne dit rien.

« Qu'est-ce qui ne va pas ? lui demanda Alberto.

– Si je comprends bien, répliqua Diego, vous ne voulez pas privilégier un côté du double-face.

– Non, répondîmes-nous en chœur.

– Alors il ne faut pas représenter un pied sur un côté du piédestal, ce qui le privilégie forcément.

– Tu as raison», conclut Alberto.

C'est ainsi que mon dessin eut un piédestal avec une base rectangulaire.

Par la suite nos rencontres s'espacèrent car Alberto se levait de plus en plus tard. Il finit par ne plus sortir que la nuit et… Diego prit une place de plus en plus importante dans ma vie.

Souvenirs sur Diego

J'ai admiré Alberto et j'ai aimé Diego.

Je ne me souviens plus si j'ai connu Diego par l'intermédiaire d'Alberto ou plutôt par Arpad et Vieira, avec lesquels il voisinait dans le XIVᵉ.

Ils avaient en commun la passion des chats.

Mais ce dont je suis sûr, c'est que je me suis senti d'emblée en parfait accord avec lui, et ce, avant même d'avoir conscience de ses exceptionnelles qualités ou d'avoir pu apprécier l'étendue de ses talents.

Diego ressemblait physiquement à son aîné. Sa tête, désormais universellement diffusée par les sculptures et les dessins qu'en fit Alberto, avait des traits fermes, mais moins accentués que chez son frère, avec moins d'âpreté, en quelque sorte moins archaïques, plus civilisés.

Diego avait le même accent qu'Alberto, en moins marqué. Contrairement à son frère, il parlait peu et n'avait pas ses dons d'expression, mais tout ce qu'il disait était parfaitement sincère et mesuré. Montagnard averti, il avait le calme et la sûreté d'un chef de cordée. Il avait un jugement lucide mais bienveillant, jamais méprisant bien qu'il aimât probablement plus les animaux que les humains.

J'ai toujours ressenti sa présence bénéfique et admiré son élégance naturelle, physique et morale. Ce qu'il avait vraiment d'exceptionnel, c'était sa totale modestie, son humilité. Il se considérait comme un artisan, voué à accompagner et à protéger son frère, génial mais imprévisible, avec l'impatience et la fragilité que Diego lui connaissait bien.

Diego était le premier à suivre l'élaboration tumultueuse des œuvres de son aîné dans sa quête de la Vérité et Alberto, toujours prêt à s'immoler, tenait le plus grand compte de son jugement.

L'œuvre de Diego n'a certes pas l'ambition prométhéenne de celle d'Alberto. Elle n'a visé pendant longtemps qu'à le seconder. Du vivant d'Alberto, presque toute l'activité de Diego était absorbée par son frère, à qui il servit de multiples fois de modèle ; séances interminables de pose, pendant lesquelles Alberto exigeait une immobilité absolue. De plus, il réalisait l'armature de ses sculptures, leur moulage au plâtre, la patine des bronzes, travail incessant et anonyme que Diego fit toujours passer avant ses propres créations.

Avec Diego, Alberto n'était pas avare ; lorsqu'enfin il connut le succès, il lui refilait des poignées de billets sans les compter.

Les deux frères s'aimaient et se respectaient.

Diego acceptait sa situation subalterne sans ressentir d'amertume. Son œuvre personnelle, elle aussi d'une grande rigueur, restait volontairement effacée, limitée à la création de pièces de mobilier. Ce n'est pas une raison pour que nous persistions à occulter l'apport incommensurable et irremplaçable que fut la participation de Diego dans l'œuvre d'Alberto. Diego ne prit son envol qu'après la mort d'Alberto. Il est resté pendant longtemps totalement méconnu du public.

Quelque temps après la mort d'Alberto, le magazine *Paris-Match* avait chargé une jeune journaliste, Patricia de Beauvais, d'écrire un article sur lui.

Patricia était une amie de ma fille Marie-Claude. Nous l'invitâmes à déjeuner chez moi avec Diego. Ils s'entendirent très bien et Diego que j'avais rarement vu aussi disert, fournit tous les renseignements demandés. C'était l'occasion pour sortir de l'ombre d'Alberto. L'article prit pour titre « Les frères Giacometti ».

Diego et Patricia se revirent souvent. Le vieux cœur de Diego fut sensible à la jeunesse de Patricia.

Malheureusement, Patricia tomba gravement malade, avec d'affreuses crises de douleur qu'aucune drogue ne parvenait à calmer. Diego bouleversé la veilla de longs mois avec compassion jusqu'à la fin.

Peu de temps après, je fus réveillé tôt le matin par le téléphone. Une voix féminine me dit : « Diego est grièvement blessé et m'a demandé de vous avertir. » On l'avait trouvé gisant sur le trottoir, au petit jour, rue du Moulin-Vert, à peu de distance de chez lui. Il était resté seul pendant plusieurs heures, sans que personne lui portât secours. Je ne sus jamais s'il était tombé en état d'ébriété ou s'il avait été victime d'une agression. Il était très choqué.

On m'aida à le mettre dans ma voiture et je l'emmenai à Cochin. Les radios montrèrent une fracture du tibia, heureusement sans déplacement. Je le plâtrai et le ramenai chez lui.

En 1972, j'épousai Claude Delay, et le fait qu'elle fût de son côté une amie de Diego nous rapprocha encore. Il nous offrit pour notre mariage un couple en bronze se tenant par la main que nous chérissons comme une relique.

Nous rendions souvent visite à Diego, digne et solitaire après la mort d'Alberto. Un jour, il me dit : « Alberto t'a donné une main, je vais mouler la tienne, tu as des mains d'accoucheur.

– Tu ferais mieux de reproduire la main de Claude, elle a des doigts bien plus fins que les miens. »

Ce qu'il fit.

C'est ainsi que nous avons des mains en bronze des deux frères. Très belles et très différentes l'une de l'autre.

Diego vieillissait dans un climat exaltant de créativité, indifférent à tout confort matériel comme l'avait toujours été son frère.

Il connaissait enfin le succès et un début de considération officielle. Les commandes affluaient, même de l'État, qui lui avait confié toute la ferronnerie du musée Picasso, mobilier et lustres.

Ce fut une réussite totale ; en particulier la grande lanterne suspendue dans l'entrée, dont nous avions suivi la lente élaboration, a la noblesse du Grand Siècle. La paternité de l'œuvre de Diego reste scandaleusement peu signalée aux visiteurs du musée.

La sobriété classique et l'élégance de son mobilier, agrémenté d'un bestiaire poétique, réminiscence de son enfance montagnarde, ravissaient un nombre grandissant d'amateurs, venus de toute part.

Malheureusement, Diego voyait de plus en plus mal. Il avait une cataracte et refusait de se faire opérer.

J'insistais pour qu'il subisse cette intervention devenue courante. Il céda à ma requête.

J'organisai son séjour à l'Hôpital Américain, où j'opérais ma clientèle privée. J'assistai à son opération, pratiquée par un ami ophtalmologue, sous anesthésie locale. Je lui tenais la main.

Tout se passa normalement.

Le lendemain, quand on lui ôta le pansement qui recouvrait son œil, il s'écria, fou de joie : « Je vois, je vois. »

J'insistai pour qu'on le gardât encore une nuit à l'hôpital, car il avait quatre-vingt-trois ans et était seul chez lui.

Je lui dis : « Je passerai te prendre demain, en fin de matinée, pour te ramener chez toi. »

Vers 13 heures, je le vis sortir du bureau du caissier à l'entrée de l'hôpital, habillé, prêt à partir, et se diriger, frêle silhouette, vers l'ascenseur. Il me dit : « Attends-moi ici, je monte prendre ma valise. »

Après quinze minutes d'attente, ne le voyant pas revenir, je montai dans sa chambre. La porte était fermée. Je frappai ; comme je n'obtenais aucune réponse, je fis ouvrir la porte par une infirmière.

Nous trouvâmes Diego étendu, mort, dans la salle de bains.

Je n'ai jamais autant pleuré qu'à l'enterrement de Diego. Jean Leymarie me tirait par la manche, devant le crématoire, en me disant : «Reprends-toi, reprends-toi.» Mais je n'arrivais pas à réprimer mes sanglots.

La tristesse, le remords, la perte d'un être incomparable. Un Juste.

R. Tubiana

Bibliographie

Antonin Artaud, *Van Gogh, le suicidé de la société*, 2001, Gallimard.

Georges Bataille Michel Leiris, *Échanges et correspondances*, 2004, Gallimard.

François Baudot, *Mémoire du style Diego Giacometti*, 2002, Assouline.

Tahar Ben Jelloun, *Giacometti, la rue d'un seul*, 2006, Gallimard.

Yves Bonnefoy, *Alberto Giacometti, biographie d'une œuvre*, 2001, Flammarion.

Michel Butor, *Diego Giacometti*, 1985, Maeght.

René de Ceccatty, *Pier Paolo Pasolini*, 2005, éditions du Rocher.

René Char, *Œuvres complètes*, 1995, Pléiade.

Jean Clair, *Le nez de Giacometti*, 1992, Gallimard.

—, *Picasso et l'abîme*, 2001, l'Échoppe.

Georges Didi-Uberman, *Le Cube et le visage*, 1993, Macula.

Thierry Dufrêne, *Alberto Giacometti : les dimensions de la réalité*, 1994, Skira.

—, *Giacometti Genet : Masques et portrait moderne*, 2006, l'Insolite.

Jacques Dupin, *Alberto Giacometti*, Textes pour une approche, 1991, Maeght éditeur.

—, *Alberto Giacometti*, 1993, éditions Léo Scheer.

Léopold Diego Sanchez, *Jean-Michel Frank*, 1997, éditions du Regard.

Jean Genet, *L'atelier d'Alberto Giacometti*, 1998, « l'Arbalète », Gallimard.

Alberto Giacometti, *Écrits*, 2001, Hermann.

—, *Je ne sais ce que je vois qu'en travaillant*, propos recueillis par Yvon Taillandier, 1993, l'Échoppe.

André Green, *Pourquoi les pulsions de destruction ou de mort* ? 2007, Éditions du Panama.

Philippe Jaccottet, *Alberto Giacometti, œuvre gravé*, 2001, Maeght éditeur.

Charles Juliet, *Giacometti*, 1985, Hazan.

Michel Leiris, *Pierres pour un Alberto Giacometti*, 1991, l'Échoppe.

James Lord, *Giacometti*, 1997, éditions Nil.

—, *Un portrait par Giacometti*, 1991, Gallimard.

Daniel Marchesseau, *Diego Giacometti*, 2005, Hermann.

Raymond Mason, *Art et artistes*, 2000, Fratelli Pozzo.

Sashiko Natsume-Dubé, *Giacometti et Yanaihara*, la catastrophe de novembre 1956, 2003, l'Échoppe.

Michael Peppiatt, *Dans l'atelier de Giacometti*, 2003, l'Échoppe.

J.-B. Pontalis, *Frère du précédent*, 2006, Gallimard.

Edmund White, *Jean Genet*, 1993, Gallimard.

Pour l'éditeur, le principe est d'utiliser des papiers composés de fibres naturelles, renouvelables, recyclables et fabriquées à partir de bois issus de forêts qui adoptent un système d'aménagement durable.
En outre, l'éditeur attend de ses fournisseurs de papier qu'ils s'inscrivent dans une démarche de certification environnementale reconnue.

Cet ouvrage a été composé en Garamond par Palimpseste à Paris

Impression réalisée sur CAMERON par
BRODARD ET TAUPIN
La Flèche

pour le compte des Éditions Fayard
en août 2007

Imprimé en France
Dépôt légal : septembre 2007
N° d'édition : 89812 – N° d'impression : 43457
35-30-3687-7/01